W9-DGC-358

175cm
170cm
160cm
HEATH
LEDGER
DATE 14·07·95

HEATHCLIFF ANDREW LEDGER

Geboren am 4. April 1979
in Perth, Australien

Gestorben am 22. Januar 2008
in New York, USA

Haarfarbe: hellbraun
Augen: braun
Größe: 1,85 Meter
Sternzeichen: Widder

HEATH LEDGER

HOLLYWOOD COLLECTION – EINE HOMMAGE IN FOTOGRAFIEN

Herausgegeben von Hilary Gayner
Texte und Fachberatung Manfred Hobsch

Schwarzkopf & Schwarzkopf

Heath Ledger bei einem Basketball-Spiel der Knicks im Madison Square Garden in New York City, 2007.

INHALT

FOREVER YOUNG

LEBEN UND FILME VON HEATH LEDGER | VON MANFRED HOBSCH

Seinen größten Erfolg hat Heath Ledger nicht mehr erlebt: In der Batman-Verfilmung »The Dark Knight« gibt es bei seiner Darstellung der Figur Joker für die Zuschauer kein Entrinnen, sein Anblick ist verstörend und faszinierend zugleich. Und er wirkt in seiner letzten Hauptrolle wie von den Toten auferstanden – der australische Schauspieler starb am 22. Januar 2008 im Alter von 28 Jahren an einer Überdosis von Medikamenten: »Die Rolle seines Lebens« hieß es in den Besprechungen, für viele Rezensenten verlieh der frühe Tod des Schauspielers dem Film eine besondere Aura. Für manche wirkte die Rolle gar, als trüge sie schon das Sterben in sich, denn Ledger spielte den Joker mit einer schockierenden Dosis von Zerstörung und Selbstzerstörung. Amerikanische Zeitungen nannten ihn »Hannibal Ledger«, weil sein Joker mindestens so monströs wie Anthony Hopkins' Kannibale sei. Andere haben ihn mit Marlon Brando verglichen, den Heath Ledger einmal als sein großes Vorbild benannt hatte, aber Ledger fehlte Brandos Verlangen, Schmerzen zuzufügen: »Ich bin eine Chaosmaschine«, sagt er als Joker, doch das Chaos rumort in ihm selbst, Schmerzen fügt er sich selbst zu. Mit roter Krankenschwesterperücke auf dem Kopf wechselt er das Geschlecht – und da stimmt dann der Vergleich mit Marlon Brando auf einmal, der besaß auch die Fähigkeit, männlich und weiblich zugleich zu sein. Das war bei Heath Ledger schon in »Brokeback Mountain« zu entdecken, wenn er in der Rolle eines Cowboys verstört ist, weil er einen Mann begehrt.

Heath Ledger wurde 4. April 1979 als Heathcliff Andrew Ledger im westaustralischen Perth geboren. Er war das zweite Kind von Sally Ledger Bell (geborene Ramshaw) und Kim Ledger. Seine Mutter Sally ist eine Französischlehrerin aus Schottland und sein Vater Kim Bergbauingenieur und Rennfahrer aus einer angesehenen Familie der Eisengussindustrie in Perth. Heath und seine ältere Schwester Cathy wurden beide nach den Hauptcharakteren aus dem Roman »Sturmhöhe« der britischen Schriftstellerin Emily Brontë benannt. Zunächst besuchte Ledger die Marys Mount Primary School in Gooseberry Hill und später die Guildford Grammar School (Gymnasium). Dort wurde er Mitglied des Drama Clubs und begann, sich für die Schauspielerei zu interessieren: Mit zehn Jahren feierte er sein Debüt in einer Aufführung von »Peter Pan«. 1989 ließen sich seine Eltern scheiden. Beide heirateten wieder. Seine Mutter Roger Bell und sein Vater Emma Brown. 1989 und 1997 wurden dann seine beiden Halbschwestern, Ashleigh Bell und Olivia Ledger geboren. Als 16-jähriger machte Ledger vorzeitig seinen High School-Abschluss und verließ die Schule, um Schauspieler zu werden. Dazu trat er der Guildford Theatre Company bei und stand in zahllosen lokalen Inszenierungen auf der Bühne, was zu ersten Fernsehrollen in australischen Serien wie »Bush Patrol«, »Corrigan«, »Ship To Shore«, »Sweat – Der Weg zum Sieg« oder »Home And Away« führte.

Während Ledger als Mitglied australischer Theatergruppen wie der Globe Shakespeare Company und der Midnight Youth Acting Company Bühnenerfolge feierte, gab er 1992 sein Spielfilmdebüt in dem Drama »Clowning Around«, danach übernahm er Nebenrollen in verschiedenen Independent-Filmen wie »Black Rock« (1997) und »P. C. – Ein Genie auf vier Pfoten« (1997) und ebenfalls 1997 war es seine erste amerikanische Fernsehserie, die ihm zum Durchbruch verhalf: In »Conor der Kelte«, die im australischen Queensland, unweit seiner Heimatstadt Perth, gedreht wurde, war er als keltischer Prinz aus dem Mittelalter zu sehen. Direkt nach der Serie unterzeichnete

Ein frühes Porträtfoto.

er einen Vertrag bei seinem ersten amerikanischen Agenten, zog in die Vereinigten Staaten nach Los Angeles und erhielt rasch seine erste Hauptrolle in einer Hollywood-Produktion: In der Teenager-Romanze »10 Dinge, die ich an dir hasse«, einer modernen Version von Shakespeares »Der Widerspenstigen Zähmung« im intriganten Highschool-Milieu, eroberte er Julias Stiles und das Publikum. Heath Ledger zählte wie Nicole Kidman, Hugh Jackman, Naomi Watts oder Cate Blanchett zu jenen australischen Schauspieler-Importen, von denen Hollywood in den vergangenen Jahren so unwahrscheinlich profitiert hat. Sowohl beruflich wie privat zwischen den Kontinenten wechselnd, stand Ledger danach wieder in Australien vor der Kamera und gab in »Two Hands« (1999), der auf dem Sundance Film Festival gezeigt wurde, einen jungen Mann, der in die Abhängigkeit des Unterwelt-Bosses Bryan Brown gerät. Danach ging es Schlag auf Schlag: Wachsender Beliebtheit konnte sich der Mime als aufrührerischer Sohn Mel Gibsons in Roland Emmerichs Schlachtenepos »Der Patriot« (2000) sicher sein, in Regisseur Gregor Jordans »Gesetzlos – Die Geschichte des Ned Kelly« (2003) war er in der Hauptrolle des Outlaws Ned Kelly zu sehen, dem berühmten Revolverhelden, der die Kelly-Gang gründete und zwischen 1878 und 1880 mehrere Bankraube verübte. Ledger wirkte außerdem in dem Kriegsfilm »Die vier Federn« (2002) unter der Regie von Shekhar Kapur und in dem Horrorstreifen »Sin Eater – Die Seele des Bösen« (2003) mit.

ZWISCHEN SELBSTZWEIFEL UND DEPRESSION: »WEN HABE ICH DENN GESPIELT, WENN ICH GESPIELT HABE?«

22 Spielfilme hat Heath Ledger gedreht, »Brokeback Mountain« (2005) machte ihn berühmt und »The Dark Knight« (2008) wird ihn unsterblich machen. Ein ganzes Leben bleibt er im Film jung und unverbraucht, im Gegensatz zu anderen Zu-Früh-Gestorbenen wie James Dean (1931-1955), dem ewigen Rebellen, oder River Phoenix (1970-1993), dem tragischen Helden, taugt Heath Ledger nicht zum (Stell-)Vertreter einer Generation, denn er war ein Schauspieler unterschiedlichster Möglichkeiten, der dem Kino noch viele Überraschungen hätte bereiten können. Der Schauspieler liebte die Vielseitigkeit in seinem Beruf und hat von Anfang an darauf geachtet, nicht in eine Schublade gesteckt zu werden. Er beherrschte die Rolle des jungen Helden genauso brillant wie die des einfühlsamen Charakterschauspielers. Bekannt wurde er als blond gelockter »Ritter aus Leidenschaft« (2001), er verkörperte den legendären venezianischen Frauenhelden »Casanova« (2005) und einen der Brüder Grimm in »Brothers Grimm« (2005). Aber auch eine kaputte Figur – den Sohn des Gefängniswärters Hank Grotowski in »Monster's Ball« (2001) – stellte er vollendet glaubwürdig dar. Heath Ledger war hier der überforderte Sohn, der sich redlich müht, in die Fußstapfen des Vaters zu treten und doch bloß mit verbalen Nackenschlägen rechnen kann, wann immer er den geringsten Fehltritt macht. Gemäß der Familientradition des Schweigens und Unterdrückens ist Sonny dank Ledgers außerordentlich subtiler Interpretation nie anzumerken, ob er sich seinem Schicksal fügt oder Ausbruchshoffnungen hegt. »Alle Rollen sind an meinem Ich dran, denn es sind alles Menschen«, meinte Ledger. Er könne sich mit jeder der gespielten Personen identifizieren. »Sogar mit George W. Bush – wenn ich muss.« Die Kunst sei es, alle Figuren, die man spiele, zu lieben und anzunehmen. »Ich finde immer eine Möglichkeit, eine Beziehung zur Rolle aufzubauen.«

Sein letzter Film, dessen Premiere Ledger erlebte, war »I'm not there«. Regisseur Todd Haynes verpflichtete gleich sechs Schauspieler für die Hauptrolle, die Darstellung der Folk- und Rocklegende Bob Dylan: Richard Gere, Christian Bale, Marcus Carl Franklin, Ben Whishaw, Cate Blanchett und Heath Ledger. Um sich in ihre Rolle als Bob Dylan besser einfühlen zu können, steckte sich Cate Blanchett einen Socken in die Hose. Die Jury der Filmfestspiele in Venedig 2007 ehrte die australische Schauspielerin mit der Auszeichnung als beste Darstellerin. Landsmann Heath Ledger nahm den Preis für die abwesende Blanchett entgegen.

»Ich kann nicht sagen, dass ich auf meine Arbeit stolz bin«, sagte Ledger noch im November 2007. Damit bezog er sich auf seine Rolle in »I'm Not There«. »Ich habe das Gefühl, ich verschwende meine Zeit, wenn ich mich wiederhole«, klagte er. Das klang wie ein

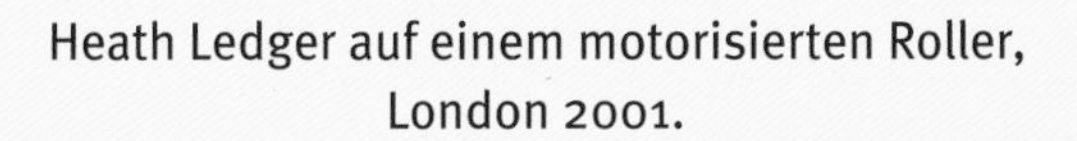

Heath Ledger auf einem motorisierten Roller,
London 2001.

Heath Ledger auf einer Filmparty,
London 2001.

Protest gegen Karriere-Planungen von Studiobossen. »Mir wurde die Karriere vorgeschrieben«, meinte er bereits 2005. »Ich war das Kunstprodukt eines Studios.« In seinem letzten großen Interview, abgedruckt in der »New York Times«, bröckelte erstmals die sorglose Fassade, zeigten sich selbstzweiflerische, fast depressive Züge: »Wen habe ich denn gespielt, wenn ich gespielt habe?«

Dabei war er gerade auf dem Weg nach ganz oben und schon ziemlich weit gekommen. Seine weitere Karriere schien eine ausgemachte Sache; sein Privatleben sorgte nur selten für Schlagzeilen: Beziehungen hatte er mit den Schauspielerinnen Lisa Zane und Heather Graham; kurzfristig war er mit Model Christina Cauchi liiert; ab 2002 folgte dann eine feste Beziehung mit Kollegin Naomi Watts, die er bei den Dreharbeiten zu »Gesetzlos – Die Geschichte des Ned Kelly« kennen gelernt hatte. Im April 2004 verkündete Watts das endgültige Aus mit dem zehn Jahre jüngeren Lover. Am Set von »Brokeback Mountain« traf Ledger dann zwei Monate später seine Schauspielkollegin Michelle Williams, die im Film seine Frau spielt.

Die beiden wurden ein Paar und verlobten sich. Im April 2005 kursierten erste Gerüchte, dass die Schauspielerin schwanger ist. Am 29. Oktober 2005 kam ihre Tochter Matilda Rose zur Welt, als deren Taufpaten sich der stolze Vater seinen »Brokeback Mountain«-Partner und Freund Jake Gyllenhaal aussuchte. Nach der Geburt nahm Ledger sich eine Auszeit vom Beruf, die Beziehung zu seiner Kollegin Michelle Williams endete August 2007 vergleichsweise still. Anfang September 2007 nannte Ledger als Grund für die Trennung zu viele Termine, zu wenig Zeit füreinander. Die Trennung von seiner Freundin soll ihn allerdings tief getroffen haben.

Nach Ledgers Tod meinte Michelle Williams: »Ich bin die Mutter des warmherzigsten, übermütigsten und schönsten Kindes, das ein Ebenbild ihres Vaters ist. Alles, an dem ich festhalten kann, ist seine Präsenz in ihr, die sich jeden Tag offenbart. Seine Familie und ich sehen Matilda, wie sie Bäumen etwas zuflüstert, wie sie Tiere umarmt, wie sie zwei Schritte auf einmal macht – und immer wissen wir: Er ist bei uns. Sie wird mit den besten Erinnerungen an ihn aufgezogen werden.«

SCHON JETZT GEHÖRT HEATH LEDGER ZU DEN UNSTERBLICHEN DES KINOS

»Brokeback Mountain«-Regisseur Ang Lee meinte über Heath Ledger: »Er investierte seinen Wissensdurst, seine Wahrheitsliebe und Lebensfreude in seine Rolle – und eine Verletzlichkeit, für die man ihn einfach lieben musste«. Doch gerade diese Sensibilität machte Ledger auch so labil. Freunde beschreiben ihn als verschlossen und ernst, Journalisten erlebten ihn meist als extrem misstrauisch. Er hatte Lampenfieber in der Öffentlichkeit und hasste die Promi-Rituale: roter Teppich, immer gleiche Fließband-Interviews. Und überall Paparazzi, die ihn auf seinen Streifzügen an der Seite verschiedener Begleiterinnen ablichten wollten. Mehrfach legte er sich mit Paparazzi an, von denen er einen einmal aus Wut bespuckt haben soll. Wofür sich dessen Kollegen revanchierten, indem sie ihn bei der Sydney-Premiere von »Brokeback Mountain« mit Wasserpistolen nass spritzten.

Bekannt wurde auch, dass Heath Ledger unter Depressionen litt, in einem Interview sagte er: »Ich fühle mich auf eine Art bereit für den Tod, weil ich in meinem Kind weiterlebe.« Immer wieder machte Ledger keinen Hehl daraus, dass er nicht glücklich ist, sprach von durchwachten Nächten, Schlafmangel, Hyperaktivität, Erschöpfung und Angstzuständen. »Letzte Woche habe ich nur zwei Stunden pro Nacht geschlafen. Mein Körper ist erschöpft, aber mein Geist findet keine Ruhe«, erzählte er im November 2007 der »New York Times«. Einmal habe er eine Schlaftablette genommen, und als die nicht wirkte, eine zweite. »Doch nach einer Stunde wachte ich auf, und meine Gedanken rasten.« Besonders schlimm ging es ihm in den Wochen vor seinem Tod. Die anstrengenden Dreharbeiten zu »The Dark Knight« sowie zum Fantasy-Film »The Imaginarium Of Doctor Parnassus« setzten ihm physisch und psychisch zu.

Ein zusammengerollter, lebloser Körper auf einem zerwühlten Bett. Umgeben von unzähligen Tablettenpackungen. Es ist, als ob Heath Ledger in »Candy« (2006) sein Ende vorweg nimmt, im Rückblick erscheint der Film wie ein böses Omen. Heath Ledger

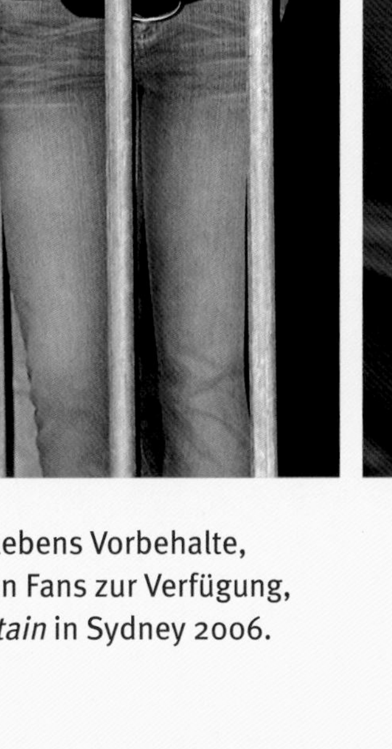

Gegen Paparazzi hatte Heath Ledger zeitlebens Vorbehalte, aber er stellte sich immer für Fotos mit seinen Fans zur Verfügung, hier bei der Premiere von *Brokeback Mountain* in Sydney 2006.

Heath Ledger beim großen Festmahl für die Oscar-Nominierten in Los Angeles im Februar 2006.

spielt einen Drogenabhängigen. Schockierend, wie der Schauspieler in der exzessiven Rolle aufgeht. Einige der Filmszenen weisen groteske Parallelen auf zum Tod des australischen Schauspielers. Im Film wirft sich Dan alle möglichen Substanzen ein. Schluckt, schnieft, spritzt bis zum Umfallen. Und auch im wahren Leben soll Ledger so viele Pillen eingeworfen haben, dass er seinen Tod bewusst in Kauf genommen haben könnte. Nach seinem Tod hieß es, Michelle Williams habe ihn wegen seines ausschweifenden Lebens verlassen. Weil er immer wieder zu Drogen und Alkohol griff, um Stress abzubauen. Die Polizei fand im New Yorker Appartement des Toten mindestens sechs verschiedene verschreibungspflichtige Pillensorten. Der Hollywood-Star war kein unbeschriebenes Blatt: Laut »Daily Star« war er angeblich zeitweilig selbst heroinabhängig. Und mit Modell Naomi Campbell soll er wilde Drogenpartys gefeiert haben, so eine ehemalige Assistentin. Kurz nach seinem Tod tauchte ein Video mit ihm auf, in dem man ihn sagen hört, er habe über Jahre fünf Joints täglich geraucht. 2006 soll er einen Drogenentzug geplant, ihn jedoch in letzter Minute wieder abgesagt haben.

Ledger kam durch einen tödlichen Medikamenten-Mix ums Leben. Es war kein Selbstmord, er starb einen einsamen Tod. Die Autopsie ergab, dass ihm eine Mischung aus sechs Wirkstoffen zum Verhängnis wurde: die Schmerzmittel Oxycodon und Hydrocodon, die Beruhigungsmittel Diazepam (»Valium«), Temazepam und Alprazolam, die man auch zur Behandlung von Angst- und Panikstörungen einsetzt, sowie das Schlafmittel Doxylamin. Als bekannt wurde, dass neben Ledger ein zusammengerollter 20-Dollarschein gelegen hat, löste das neue Spekulationen über einen möglichen Drogentod aus. Die New Yorker Polizei aber widersprach, es seien keine Reste einer illegalen Substanz daran festgestellt worden, kein Kokain, nichts. Offensichtlich benötigte er den Medikamenten-Cocktail, um eine innere Leere zu füllen, die seine Erfolge und sein Ruhm nicht hatten ausfüllen können.

Einen »leidenschaftlichen Träumer« nannte ihn die Familie in ihrer Todesanzeige: »Als eng verbundene Familie haben wir stets beobachtet, wie Du so bestrebt und doch so ruhig auf Deinem ganz eigenen Weg durchs Leben gereist bist, und Dir nichts den Weg versperren konnte – kein Berg war zu hoch, kein Fluss zu tief.«

Heath Ledger stand dem Hollywood-Rummel eher distanziert gegenüber, aber er war auch ein Mensch, der offensichtlich von krankhaftem Ehrgeiz getrieben wurde. Seine Anforderungen an sich selbst waren so hoch wie die zerstörerischen Selbstzweifel, die ihn plagten. Im Jahr seines großen Triumphs – nach der Oscar-Nominierung für seine große Charakterrolle in »Brokeback Mountain« – konnte er nicht glücklich sein, wie etwa eine Reporterin des US-Magazins »Time« berichtete: »Das meiste, was er von sich gab, war Unzufriedenheit.« Nach seinen ersten Erfolgen, meinte er, wäre er am liebsten wieder ein Niemand geworden, »um neu zu starten, um zu sehen, was, wenn überhaupt, meine Fähigkeiten sind«.

Vor seinem Tod war Ledger mit den Dreharbeiten zu dem Film »The Imaginarium Of Doctor Parnassus« von Terry Gilliam beschäftigt. Während das Team für ein paar Tage nach Vancouver flog, zog er sich in sein Domizil nach SoHo in New York zurück. Gilliam unterbrach die Produktion des Films unmittelbar nach Ledgers Tod und setzte die Dreharbeiten erst im März 2008 wieder fort. Ledgers Rolle wird in den noch fehlenden Szenen von drei anderen Schauspielern (Jude Law, Colin Farrell und Johnny Depp) übernommen. Der Gestaltwandel der Hauptfigur soll in die Geschichte eingebaut werden. Seinen allerletzten Leinwandauftritt wird Heath Ledger im Jahr 2009 in »The Imaginarium Of Doctor Parnassus« haben.

Das wird seine Abschiedsvorstellung sein, doch schon jetzt gehört er zu den Unsterblichen des Kinos: Mit seinem frühen Tod ist längst ein Mythos geboren – und was der amerikanische Filmregisseur Nicholas Ray über James Dean gesagt hat, gilt auch für Heath Ledger: »Er ist ein Wesen, das niemals ganz domestiziert worden ist und das ein uraltes Wissen von einem freieren und einfacheren Leben in sich trägt. Er fühlt sich in der Welt, in der er lebt, nicht besonders wohl und von Zeit zu Zeit versucht er, sich aus ihr zurückzuziehen, aber er kommt immer zurück, weil es keine andere Welt gibt.«

Heath Ledger im Jahr 2006 auf dem Toronto Film Festival in einem besinnlichen Moment.

Heath Ledger mit seiner Tochter Matilda in New York City, 2007.

Conor der Kelte

Irland im Jahr 400 nach Christus: Während die Truppen des Römischen Imperiums das Nordland bereits nahezu zerstört haben, sind die keltischen Clans der Landlords untereinander zerstritten und liefern sich erbitterte, blutige Fehden. Nur der keltische König Derek (Patrick Dickson) erkennt die große Gefahr für den Fortbestand Irlands und bemüht sich um die Einigung der irischen Stammesfürsten.

Doch in einer blutigen Schlacht wird Dereks gesamte Familie von dem mit den Römern sympathisierenden König Gar (Leo Taylor) ausgelöscht. Nur Dereks jüngster Sohn Conor (Heath Ledger) überlebt. Da der 20-jährige Conor in Gars Tochter Claire (Keri Russell) verliebt ist, will der grausame König unbedingt auch diesen letzten Spross aus Dereks Familie töten. Aber Claire wirft sich im letzten Augenblick zwischen ihren mordlüsternen Vater und ihren Geliebten – und stirbt. Conor verspürt grenzenlosen Hass auf König Gar, der mittlerweile in zweiter Ehe mit der Römerin Diana (Lisa Zane) verheiratet ist. Conor lässt sich wenig später von dem Druiden Galen (Norman Kaye) davon überzeugen, dass es seine Bestimmung ist, die von Gar geknechteten Menschen zu einen und die Vision seines verstorbenen Vaters – das unterdrückte Volk Irlands in die Freiheit zu führen – zu verwirklichen.

An Conors Seite und für dessen Ziele kämpfen der Krieger Fergus (John Saint Ryan), der Afrikaner Tully (Alonzo Greer) und die entlaufene Sklavin Catlin (Vera Farmiga). Gemeinsam gelingt es ihnen, sich Zugang zu Gars Festung zu verschaffen und den Tyrannen zu töten. Mit dieser Tat begründet Conor seinen Ruf als neuer Held Irlands. Aber Diana, Gars Ehefrau, hat bereits Hilfe aus Rom gerufen ... In den USA fand die Serie schon nach acht ausgestrahlten Episoden ihr Ende, doch es wurden 13 Folgen produziert, RTL strahlte alle Folgen der Serie aus.

Roar, Fantasy, TV-Serie, USA 1997–2000, Regie: Ian Toynton, Jefery Levy, Rick Rosenthal, Buch: John Kirk, Larry Barber, Paul Barber, Shaun Cassidy, Kamera: Levie Isaacks, John Stokes, Autor: Shaun Cassidy. Musik: Jon Ehrlich, Produzent: Michael Nankin, Shaun Cassidy, Larry Barber. Mit: Heath Ledger, John Saint Ryan, Lisa Zane, Vera Farmiga, Patrick Dickson, Leo Taylor, Keri Russell, Norman Kaye, Sebastian Roché, Alonzo Greer, Melissa George

Zu Conors Gruppe gehören sein Mentor Fergus (John Saint Ryan), der junge Zauberer Tully (Alonzo Greer) und die geflohene Sklavin Catlin (Vera Farmiga) – ein Team von Helden im Kampf gegen das Böse.

Der 20-jährige keltische Prinz Conor (Heath Ledger) wird nach dem Mord an seiner Familie zum Anführer gegen die Römer.

Prinz Conor (Heath Ledger)
und die geflohene Sklavin Catlin
(Vera Farmiga).

Das Abenteuer beginnt im Jahre 400 nach Christus: Das römische Reich hat fast ganz Irland besetzt ...

... doch nachdem Conors Stamm vernichtet wurde, beschließt er, sich zu rächen und wird Anführer von ausgestoßenen und gejagten Menschen.

Two Hands

Jimmy (Heath Ledger), 19 Jahre alt und leicht naiver Möchtegern-Ganove, arbeitet als Türsteher in einem Strip-Club in Sydney. Seiner Profession kann er in dieser Position bisher nur sehr eingeschränkt nachgehen. Als sein Chef Pando (Bryan Brown) ihn damit beauftragt, einem seiner zwielichtigen Geschäftspartner 10.000 Dollar in bar zu überbringen, sieht er seinen Aufstieg in der Unterwelt schon vor sich.

Doch bereits auf der ersten Sprosse strauchelt Jimmy, indem das Geld nie bei seinem Empfänger landet: Bei seiner Ankunft am verabredeten Treffpunkt öffnet ihm niemand die Tür. Die Nähe des Treffpunkts zum Strand lässt Jimmy schwach werden, doch während er das Geld im Sand vergräbt, um ein Bad zu nehmen, wird er von zwei Teenagern beobachtet, die ihm das Geld stehlen. Herzlich willkommen auf der Abschussliste von Pando. Innerhalb von 24 Stunden wird sein Aufstieg zum Ausstieg, was ihm nur noch einen Ausweg lässt: das Geld schnellstmöglich wieder zu beschaffen.

Bei diesem verzweifelten Versuch verübt er einen haarsträubenden Banküberfall, wird aus Versehen zum Mörder und trifft zu allem Überdruss noch seine große Liebe Alex (Rose Byrne), mit der er den Abflug in ein neues Land wagt ...

»Two Hands« bedient sich unverhohlen großer Vorbilder, die »Pulp Fiction«, »Lola rennt« und »Jackie Brown« heißen. Die offensichtliche Imitation von Quentin Tarantinos Inszenierungsart ist dabei auch immer als solche zu identifizieren. »Sämtliche Charaktere sind Klischees, wie wir sie schon aus Dutzenden anderer Filme im Fahrwasser der großen Vorbilder kennen«, bemerkt Tino Hahn im »DigitalVD.de – DVD und Heimkino Magazin«: »Der kinderliebe Familienvater und Gangsterboss, die schießwütigen Komplizen und die starken Frauen, die in den entscheidenden Situationen cool und durchdacht reagieren. Mit seinen guten Darstellern kann ›Two Hands‹ jedoch viel retten, allen voran Heath Ledger.«

Two Hands, Krimi-Komödie, Australien 1999, Regie: Gregor Jordan, Buch: Gregor Jordan, Kamera: Malcolm McCulloch. Musik: Cezary Skubiszewski, Produzenten: Marian Macgowan, Bryce Menzies, Mark Turnbull, Timothy White. Mit: Heath Ledger, Bryan Brown, David Field, Tom Long, Tony Forrow, Steven Vidler, Dale Kalnins, Kiri Paramore, William Drury, David Moeaki, Mathew Wilkinson, Rose Byrne, Mary Acres, Evan Sheaves, Jarrah Darling

Für den neuen Gangsterboss Pando (Bryan Brown) soll Jimmy (Heath Ledger)
bei seinem ersten Auftrag 10.000 Dollar zu einem Treffpunkt bringen und verliert sie prompt ...

»Ich kannte ihn, seit ich bei Two Hands Regie geführt hatte,
als er 18 war, und er hatte schon immer eine alte Seele.«
GREGOR JORDAN, Regisseur von TWO HANDS

Regisseur Gregor Jordan und Schauspieler Heath Ledger haben bei diesem Film das erste Mal zusammen gearbeitet: Jordan empfahl sich nach dem Erfolg von »Two Hands« in Australien für weitere Aufgaben und drehte die Streifen »Buffalo Soldiers« und »Ned Kelly« – letzteren wieder mit Heath Ledger.

»Ich denke, Heath hat eine natürliche Leinwandpräsenz, er hat eine Konzentration, die ihn von vielen anderen jungen Schauspielern unterscheidet. Er bringt eine Tiefe und Intelligenz mit ein, und nicht nur das, er konzentriert sich, auf das, was er tut, er ist sich über die Rolle im Klaren, darüber, was er mit ihr erreichen will. Dadurch schafft er einen Ausgleich zum Rest der Besetzung, von denen die meisten viel erfahrener sind als er. Und das ist sehr wichtig, damit die Story funktioniert. Ansonsten würden wir unser Gleichgewicht verlieren, er bringt diese Konzentration mit sich.« MARIAN MACGOWAN, Produzentin von TWO HANDS

»Ich war nicht bei allem mit einhundert Prozent dabei. Ich musste eine Entscheidung treffen, wie der Junge in diesem Film.« HEATH LEDGER

Links: In den Wellen von Bondi Beach während des Drehs.

Rechts: Kleingangster Jimmy (Heath Ledger) trifft auf seine große Liebe Alex (Rose Byrne).

10 Dinge, die ich an dir hasse

William Shakespeares »Der Widerspenstigen Zähmung« an einer Highschool in Amerika. Im Hause Stratford herrscht eine eiserne Regel: Bianca (Larisa Oleynik) darf erst mit ihrem Schwarm Joey (Andrew Keegan) ausgehen, wenn auch ihre ältere Schwester Kat (Julia Stiles) ein Rendezvous hat.

Kat ist jedoch eine stets schlecht gelaunte Kratzbürste, hasst Jungs, Dates und all die Balzrituale. Doch dann beginnt der charismatische Patrick Verona (Heath Ledger) mit Kat zu flirten. Kat wird weich – nicht ahnend, dass Patrick dafür bezahlt wurde, mit ihr anzubandeln. Ein Beschluss, den Patrick allerdings schon bald bereut – denn er hat sich in seine »Geschäftsbeziehung« verliebt ... Während viele der jungen Schauspieler bereits durch andere Kinofilme und TV-Produktionen populär waren, entschied sich Regisseur Gil Junger bei der Rolle des Patrick Verona für den damals noch relativ unbekannten Heath Ledger: »Meine erste Reaktion, als er den Raum betrat, war: ›Der Typ sieht gut aus. Hoffentlich kann er auch spielen.‹ Als ich dann mit ihm sprach, merkte ich, wie intelligent er ist. Er sprach genau drei Minuten und 40 Sekunden vor – da wusste ich, dass er der Richtige für diese Rolle ist.« Da Patrick Verona letztlich eine moderne Version von Shakespeares Petruchio ist, ließ sich Heath Ledger in seiner Darstellung durchaus von Richard Burton inspirieren, »der diese Rolle in der wohl berühmtesten Verfilmung von ›Der Widerspenstigen Zähmung‹ spielte. Aber mein Patrick hat auch einen Hauch von Nicholson – dieses Grinsen und die liebenswerte Verschlagenheit.« Die Chemie zwischen Julia Stiles als Kat und Heath Ledger als Patrick stimmte schon beim ersten gemeinsamen Probelesen der Dialoge.

»Es sprühten richtig Funken«, meinte Ledger. »Sie sind als Paar ungemein sexy«, fand Regisseur Junger, »weil sie beide solch unterschwellige Energie besitzen. Man merkt, dass es bei beiden unter der abweisenden Fassade brodelt.«

10 Things I Hate About You, Komödie, USA 1999, Regie: Gil Junger, Buch: Karen McCullah Lutz und Kirsten Smith, Kamera: Mark Irwin, Autor: Frei nach William Shakespeare. Musik: Richard Gibbs, Produzenten: Andrew Lazar und Jody Hedien. Mit: Julia Stiles, Heath Ledger, Joseph Gordon-Levitt, Larisa Oleynik, David Krumholtz, Andrew Keegan, Susan Pratt, Gabrielle Union, Larry Miller, Allison Janney, Daryl Mitchell, David Leisure, Allison Janey, Greg Jackson, Kyle Cease, Terence Heuston, Cameron Frase

»Du bezahlst mich dafür, dass ich mit ihr ausgehe?«

10 DINGE, DIE ICH AN DIR HASSE ist einer von vielen Filmen, die in »Nicht noch ein Teenie-Film« parodiert werden.

In der Highschool-Komödie 10 DINGE, DIE ICH AN DIR HASSE spielt Heath Ledger Patrick Verona, der sich für die »widerspenstige« Kat interessiert.

»Tja, vielleicht hast du keine Angst, aber du hast dir bestimmt schon vorgestellt, wie ich nackt aussehe, hä?«

Die Dreharbeiten waren außergewöhnlich stressfrei. Das war vor allem ein Verdienst von Gil Junger, dem renommierten TV-Regisseur, der mit diesem Film sein Kinodebüt gab. »Er ist unglaublich souverän – und sein Comedy-Timing ist fantastisch«, schwärmte Heath Ledger.

Überhaupt hielt Regisseur Gil Junger das gesamte junge Ensemble seines Films für einen ausgesprochenen Glücksfall: »Für viele von ihnen wird dieser Film den Durchbruch bedeuten«, meinte er damals und sollte damit Recht behalten.

»Heath ist sexy, aber es ist kein sexy der Art ›ich bin besser als du‹. Es macht solchen Spaß, mit ihm zusammen zu sein, weil er nicht versucht, einen auf cool zu machen.«

JULIA STILES, Co-Star aus 10 DINGE, DIE ICH AN DIR HASSE

Der Dreh bedeutete für Heath Ledger ganz neue Erfahrungen, zum Beispiel singt er in einer Szene den alten Frankie Valli-Song CAN'T TAKE MY EYES OFF YOU und tanzt dazu. Ledger, der über keinerlei Tanzerfahrung verfügte, arbeitete mehrere Tage lang mit einem Choreografen an seinen Bewegungen. Dabei musste er freilich darauf achten, dass sein Tanz nicht zu souverän wird. »Es war interessant: Wir studierten jede einzelne Bewegung minutiös ein – und ich hab' sie dann absichtlich schlampig ausgeführt«, erzählte Ledger.

»In dieser Branche kommt das Interesse an einem in Wellen, es ist von den Gezeiten abhängig. Deshalb möchte ich nicht auf die erste Welle springen, die vorbeikommt.« HEATH LEDGER

Kat Stratford: »Du kannst mir nicht jedes Mal, wenn du Scheiße gebaut hast, 'ne Gitarre kaufen.«
Patrick: »Ja, schon klar. Aber in einer richtigen Band braucht man 'n Schlagzeug, 'ne Bassgitarre oder 'ne Mundharmonika.«
10 DINGE, DIE ICH AN DIR HASSE

Ich hasse, wie du mit mir sprichst, und deine komische Frisur!
Ich hasse, wie du Auto fährst, und deine ganze Machotour!
Ich hasse deine Art mich anzuglotzen und dich ständig einzuschleimen.
Ich hasse es so sehr, ich muss fast kotzen, noch mehr als bei diesen Reimen.
Ich hasse, wenn du Recht behältst, und deine Lügerei.

Ich hasse, wenn du mich zum Lachen bringst, noch mehr als meine Heulerei.
Ich hasse, wenn du nicht da bist und dass du mich nicht angerufen hast.
Doch am meisten hasse ich, dass ich dich nicht hassen kann.
Nicht mal ein wenig, nicht mal ein bisschen.
Nicht einmal fast.

Ein sonnengebräunter Heath Ledger
in entspannter Pose im Jahr 1999

Heath Ledger macht auf einer Pressekonferenz im Jahr 2000 eine erstaunlich gute Figur für jemanden, der von sich behauptete, dass er nie wirklich geplant hatte, ins Filmbusiness zu gehen

Der Patriot

Freiheit, Liebe und Tod – ein historisches Action-Drama vor dem Hintergrund des amerikanischen Unabhängigkeitskrieges. South Carolina, 1776. Der Witwer Benjamin Martin (Mel Gibson), ein Veteran des Feldzugs gegen die Franzosen und die Indianer, lebt mit seinen sieben Kindern zurückgezogen auf seiner Plantage. Mit dem drohenden Krieg gegen die Engländer will der friedfertige Familienvater nichts zu tun haben.

Doch als sich Benjamins idealistischer Sohn Gabriel (Heath Ledger) seinem Vater zum Trotz der kontinentalen Armee anschließt und der englische Colonel Tavington (Jason Isaacs) Gabriels jüngeren Bruder Thomas (Gregory Smith) in einem Akt grausamer Willkür erschießt, kann sich auch Benjamin dem Krieg nicht länger entziehen. Gemeinsam mit Gabriel führt er eine Rebellen-Miliz in den Kampf gegen die übermächtige englische Armee. Dabei entdeckt der Held wider Willen, dass er seine Familie nur beschützen kann, indem auch er für die Freiheit seiner jungen Nation kämpft ...

»Das Drehbuch gab den Ausschlag,« meinte Regisseur Roland Emmerich. »Ich hätte niemals gedacht, dass gerade ich einen Film über die amerikanische Revolution machen würde. Aber ich war stark von der Geschichte bewegt und sehr beeindruckt von ihr.«

Auch den Hauptdarsteller Mel Gibson beeindruckte das Drehbuch: »Es ist nicht zu übersehen, dass sich die Geschichte immer wiederholt. Jahrhundert für Jahrhundert, Dekade für Dekade, es sind andere Hauptpersonen, aber immer dieselbe Geschichte. In all ihrer Hässlichkeit und Schönheit, mit all ihren Siegen und Niederlagen. Solche Geschichten malten schon die ersten Menschen an die Wände ihrer Höhlen, und ihre Mischung aus Normalität und Göttlichkeit inspiriert und bewegt uns zutiefst. Das sind genau die Geschichten, die ich mag. Obwohl es sich um einen sehr großen, teuren Film handelt, geht es im Grunde genommen um eine kleine, echte Geschichte mit verständlichen Figuren – um ganz normale Menschen eben.«

The Patriot, Historiendrama, USA 2000, Regie: Roland Emmerich, Buch: Robert Rodat, Kamera: Caleb Deschanel, Musik: John Williams, Produzenten: Dean Devlin, Mark Gordon und Gary Levinsohn. Mit: Mel Gibson, Heath Ledger, Joely Richardson, Jason Isaacs, Chris Cooper, Donal Logue, Michael Neeley, Rene Auberjonois, Lisa Brenner, René Auberjonois, Tom Wilkinson, Adam Baldwin, Beatrice Bush, Gregory Smith, Trevor Morgan, Tchéky Karyo, Leon Rippy, Mika Boorem, Skye McCole Bartusiak, Joey D. Vieira, Jay Arlen Jones

»Ich mag den Jungen. Heath ist weit über sein Alter gereift. Er arbeitet sehr genau und sorgfältig. Ich erinnere mich noch, wie ich in seinem Alter war. Gott, ich glaube, ich konnte damals nicht so spielen wie er heute. Er war sehr akkurat und präzise. Er hat eine riesige Zukunft vor sich. Er hat das richtige Herz und die richtige Einstellung und er wird bestimmt immer besser.« MEL GIBSON

Mel Gibson als Benjamin Martin: »Ich habe schon immer befürchtet, dass mich meine Sünden eines Tages heimsuchen würden und die Strafe höher ist, als ich ertragen kann.«

»Mel ist ein australischer Nationalheiliger. Es war eine einzigartige Erfahrung, mit ihm zu arbeiten. Ich habe sehr viel von ihm gelernt. Auch viele Dinge, über die nicht explizit geredet wurde, wie beispielsweise seine Professionalität, die Art, wie er mit Menschen umgeht, wie er sich selbst in seiner Arbeit darstellt. Er gibt sehr viel – auf der Leinwand und im Leben.« HEATH LEDGER

»Ein Vierzig-Millionen-Dollar-Film lastet auf seinen Schultern und er läuft herum, als hätte er das schon sein ganzes Leben lang getan.« PAUL BETTANY, Co-Star aus RITTER AUS LEIDENSCHAFT

»Das ist das Besondere an der Geschichte, es geht um innere Größe, nicht um äußerlich große Dimensionen. Ich kenne Kino-Epen, die einen nicht berühren, obwohl sie vor bombastischen Effekten nur so wimmeln. Sie erreichen einen aber überhaupt nicht auf einer menschlich emotionalen Ebene. Bei ›Der Patriot‹ ist das Wichtigste die Geschichte der Menschen, der Familie. Eben etwas, womit sich jeder identifizieren kann. Wenn das funktioniert, dürfen die Kanonen ruhig losdonnern, weil dann die Kanonenschläge etwas bedeuten.« MEL GIBSON

Heath' fehlendes Selbstbewusstsein kostete ihn fast seine Rolle in DER PATRIOT. Er verließ das Vorsprechen vor den Augen des Regisseurs Roland Emmerich. Der Besetzungschef rief ihn zurück und er setzte sich schließlich gegen zweihundert Konkurrenten durch, unter anderem gegen Ryan Phillippe und seinen zukünftigen Co-Star Jake Gyllenhaal.

»Heath hat das erste Vorsprechen vermasselt. Aber als er den Raum betrat, spürte man, wie sich alle plötzlich aufrichteten und dachten: ›Wer ist das?‹« ROLAND EMMERICH, Regisseur von DER PATRIOT

»Heath war kein Dandy, kein Weichei-Schauspieler. Er benahm sich nicht wie ein verzogenes Gör. Er war sehr ernst. Sehr fleißig, sehr ... zurückhaltend.« FRANK HOUSE, Waffenschmied aus Kentucky

»Nach ›Der Soldat James Ryan‹ war ich auf der Suche nach einem neuen Projekt. Seit meiner Kindheit hat mich die amerikanische Revolution fasziniert. Ich habe nie verstanden, warum sich bisher kein Film dieses Themas angenommen hat. Im Unterschied zu ›Saving Private Ryan‹ beschäftigt sich ›Der Pariot‹ mit einem Krieg, der an der amerikanischen Heimatfront gekämpft wurde. Es fügte sich ganz natürlich, sich mit einer Figur wie Benjamin Martin auseinanderzusetzen, die mit einer konkurrierenden Verantwortlichkeit klarkommen muss. In diesem Fall hieß das ›Familie ist wichtiger als Prinzipien‹. Der Film zeigt, wie Martin versucht, Verpflichtungen, die im direkten Konflikt zueinander stehen, nachzukommen.«

Drehbuchautor ROBERT RODAT

»Heath ist viel bodenständiger, als ich es in seinem Alter war, als es für mich losging. Ich denke, er wird besser damit umgehen können als ich.«
MEL GIBSON

»Mel war großartig zu mir, aber ich arbeitete zum ersten Mal mit einem großen Filmstar zusammen und war deshalb sehr eingeschüchtert.«
HEATH LEDGER

»Er startete gerade durch und dass er so jung gestorben ist, ist ein tragischer Verlust. Meine Gedanken und Gebete sind bei ihm und seiner Familie.«
MEL GIBSON

»Als Gabriel aufwuchs, hörte er die Geschichten von Helden und sie schienen ihm alle sehr ruhmreich zu sein. Sein Vater aber hat am eigenen Leib erfahren, wie schrecklich Krieg ist. Er will seinen Sohn vor dieser Situation bewahren. Alle Eltern und Kinder gehen durch diese Phase. Gabriel ist ein Vertreter der neuen Generation. Er glaubt fest an die Ideale eines neuen Landes. Er trotzt seinem Vater und zieht in den Krieg.« HEATH LEDGER

»Thematisch kamen wir zu dem Schluss, dass man seine eigene Familie nicht retten kann, wenn man nicht bereit ist, die Familien aller Menschen zu retten. Was in diesem Fall bedeutet, an der Seite der Patrioten in der amerikanischen Revolution zu kämpfen. Ich halte diese Themen für sehr wichtig und ich hoffe, dass sie bei den Zuschauern in allen Bereichen ihres Lebens Nachhall finden.«

Produzent MARK GORDON

»Heath Ledger besitzt zweifellos Qualitäten, die ihn mit Mel verbinden und ich denke, dass die beiden im Film tatsächlich als Vater und Sohn überzeugen. Wenn man sich sehr frühe Mel-Gibson-Filme ansieht, erkennt man, dass er eigentlich nie wie ein Junge aussah. Sogar in seiner Jugend umgab ihn eine ganz spezifische Männlichkeit. Das trifft meines Erachtens auch auf Heath Ledger zu. Er ist 20 Jahre alt, aber er ist kein Junge mehr. Er benimmt sich wie ein Mann. Gibson und Ledger teilen diese Eigenart.«

Produzent DEAN DEVLIN

»Der australische Newcomer hat das Talent und das Aussehen, um ein großer Star zu werden.« ROLLING STONE

»Ich habe so große Hoffnungen in ihn gesetzt.« MEL GIBSON

In modischem Outfit bei der New Yorker Premierenparty von *Boys, Girls and a Kiss* im Jahr 2000

Obwohl er seinen Beruf sehr ernst nahm, ging Heath Ledger auch gerne auf Partys.

Auf einer anderen Party in einer anderen schwarzen Lederjacke – hier mit Heather Graham auf der Premierenfeier von *The Cell* in London im Jahr 2000.

Ritter aus Leidenschaft

Ritter-Spektakel mit vielen Anachronismen: Schon als kleiner Junge träumt Junker William (Heath Ledger), der Sohn eines armen Dachdeckers, davon, es einmal seinem Meister, einem Ritter noblen Geschlechts, gleichzutun und in Lanzenduellen die Menschen zu begeistern. Als der Ritter vor einem Turnier überraschend aus dem Leben scheidet, ergreift William die Gelegenheit beim Schopf.

Unterstützt von seinen Freunden Roland (Mark Addy) und Wat (Alan Tudyk) sowie dem Dichter Geoff Chaucer (Paul Bettany), schlüpft William in die Rüstung des Edelmanns und eilt fortan als Sir Ulrich von Lichtenstein von Sieg zu Sieg. William hat die begeisterten Massen auf seiner Seite, und selbst das Edelfräulein Jocelyn (Shannyn Sossamon) kann ihm nicht widerstehen. Nur Finstermann Adhemar (Rufus Sewell) ist von dem scheinbar unbesiegbaren Konkurrenten wenig begeistert und schreckt vor keiner Niederträchtigkeit zurück, um William auszuschalten ...

Zu den Klängen unvergänglicher Rockklassiker und mit augenzwinkerndem Humor inszenierte Drehbuchautor und Regisseur Brian Helgeland (»L.A. Confidential«, »Payback«) einen temporeichen Ritterfilm. Musikalisches Bonbon des wilden Ritts durch die Welt der Turniere ist eine Neuauflage des Evergreens »We Are The Champions«. »Wir wollten einen Historienstoff entwickeln, der der damaligen Zeit entsprechen, sich aber dennoch zeitgemäß anfühlen sollte. Ich wollte, dass das Mittelalter für den Zuschauer so lebendig wirkt wie für die Menschen, die damals lebten.

Für sie war es keine archaische Zeit. Für sie war es die Gegenwart«, erläuterte Brian Helgeland: »Wenn man will, dass ein Film funktioniert, dann muss man das Publikum einladen, an ihm teilzuhaben. Der Zuschauer kann sich ausgeschlossen fühlen, wenn man sich zu sehr auf detailgetreue Kostüme, veraltete Dialoge oder antiquierte Musik versteift. Es muss Elemente geben, zu denen man eine Beziehung aufbauen kann. Unser Ziel war es, eine nahtlose Verbindung zwischen Damals und Heute zu schaffen.«

A Knight's Tale, Actionabenteuer, USA 2001, Regie: Brian Helgeland, Buch: Brian Helgeland, Kamera: Richard Greatrex, Musik: Carter Burwell, Produzenten: Brian Helgeland, Tim Van Rellim, Todd Black. Mit: Heath Ledger, Mark Addy, Rufus Sewell, Paul Bettany, Bérénice Bejo, Shannyn Sossamon, Alan Tudyk, Laura Fraser, Christopher Cazenove, Berenice Beso, James Purefoy, Roger Ashton-Griffiths, Nick Brimble, Leagh Conwell

»Es ist ein bisschen unbequem, Liebesszenen in einer Rüstung zu drehen, aber was sein muss, muss sein.«
HEATH LEDGER

»Mein Stolz ist das Einzige, was sie mir nicht nehmen können.«
RITTER AUS LEIDENSCHAFT

Heath war angesichts des Hypes um den Film RITTER AUS LEIDENSCHAFT entsetzt. Er hatte das Gefühl, dass die Werbezeile »He Will Rock You« ihn zu sehr in den Vordergrund rückte, obwohl er sich vor sich und der Welt erst noch beweisen musste.

»Was mir wirklich gefiel, war nicht so sehr, dass es William gelingt, zu ändern, was ihm durch seine Sterne vorherbestimmt ist, sondern was er dabei lernt. Er will das Gold, die Ehre und den Ruhm, aber er erkennt schließlich, dass seine Freunde, die ihn umgeben und ihn unterstützen, die wahren Sterne in seinem Leben sind. Das wahre Edle ist es, die eigene Bestimmung und sein Herz zu finden.« HEATH LEDGER

Adhemar: »Eure Rüstung, mein Freund. Nicht gerade unauffällig, so ein antikes Stück. Solltet ihr siegen, wird das vielleicht die neue Mode. Dann könnte sich mein Großvater in seiner Montur auch wieder öffentlich zeigen. Und euer Schild, wie verspielt.«

RITTER AUS LEIDENSCHAFT

»Wir schaffen das«, erklärt der aufgekratzte William. »Wir können Champions sein ... Ich werde nicht den Rest meines Lebens als Nichts verbringen.« Und so, obwohl ihm seine Weggefährten dringend abraten, verwandelt sich der unbedeutende William Thatcher in den edlen Sir Ulrich von Lichtenstein aus dem weit entfernten Gelderland. Nicht von ungefähr befindet sich auf dem Wappen seiner Rüstung ein Phönix. »Sein Ende ist sein Anfang«, sagt William.

William: »Hat sie mich gesehen?«
Chaucer: »Ja, sie hat dich gesehen.«
William: »Wie ich getroffen wurde?«
Chaucer: »Ja, wie du getroffen wurdest.«
RITTER AUS LEIDENSCHAFT

»Heath Ledgers William steht natürlich im Mittelpunkt. Seine Geschichte ist ein moderner amerikanischer Archetypus eines Selfmade-Mannes, der sich von sozialen Hürden nicht aufhalten lässt. Es ist die Geschichte von vielen von uns. Ich zum Beispiel war ein Fischer, der aus einer alt angestammten Fischerfamilie kommt. Jedes männliche Mitglied meiner Familie fischte nach Jakobsmuscheln, mit Ausnahme eines Onkels, der nach Alaska auswanderte, um nach Königskrabben zu fischen. Hollywood war für mich Lichtjahre entfernt, aber irgendwie ist es mir gelungen, eine Anstellung als Drehbuchautor zu erhalten. Das war ein ziemlich großer Schritt. Dann war ich ein Autor, der Regie führen wollte. Noch ein ziemlich großer Schritt. ›Ritter aus Leidenschaft‹ ist ein Tribut an alle, die etwas geschafft haben, das für sie eigentlich unerreichbar schien.«
BRIAN HELGELAND

»Ich war nicht elegant genug. Jeder Idiot kann kämpfen. Ich muss einen Weg finden, eleganter zu werden.«
HEATH LEDGER

»Die Kamera entspannt sich bei ihm einfach. Wenn die Kamera bestimmte Leute aufnimmt, kann man fast spüren, wie sie sagt: ›Ah, das ist gut. Wir sind in guten Händen.‹ Nicht viele Menschen haben das. Es macht einen Star aus.«

Rufus Sewell, Co-Star aus RITTER AUS LEIDENSCHAFT

»Es geht um die Reise einer Figur – wo sie herkommt, was sie im Leben leisten will und wie sie ihre Träume in die Tat umsetzt. William folgt seinem Herzen. Und ich weiß, dass das Publikum davon berührt werden wird.«

HEATH LEDGER

»Das Set war wie ein riesiger Spielplatz für uns. Ich hatte bei diesem Film nicht nur die Gelegenheit, mit einem tollen Ensemble zu arbeiten, sondern konnte auch Pferde reiten, singen, tanzen und fechten, sowie meine komödiantischen Talente einbringen und eigene Stunts durchführen. Ein Traum für jeden Schauspieler.« HEATH LEDGER

Monster's Ball

Beschämendes Drama über den US-amerikanischen Süden, in dem eine Liebe zwischen Schwarz und Weiß kaum eine Chance hat: Hank Grotowski (Billy Bob Thornton) ist Wärter im Staatsgefängnis von Georgia. Wie schon sein rassistischer Vater Buck (Peter Boyle) zuvor und nun auch sein sensibler Sohn Sonny (Heath Ledger) eskortiert er Todeskandidaten bei ihrem letzten Gang auf den elektrischen Stuhl.

Als Sonny bei der Hinrichtung des Schwarzen Lawrence Musgrove (Sean »Puffy« Combs) die Nerven verliert und zusammenbricht, eskaliert der schwelende Familienkonflikt: Hanks Sohn jagt sich eine Kugel in den Kopf. Hank quittiert daraufhin seinen Job. Aushilfskellnerin Leticia (Halle Berry), die Witwe Musgroves, führt ebenfalls ein erbärmliches Dasein.

Als ihr Sohn von einem Auto angefahren wird, kommt zufällig Hank vorbei und bringt die beiden ins Krankenhaus. Doch auch für Leticias Sohn kommt jede Hilfe zu spät. Es beginnt eine obsessive Liebe zwischen zwei Menschen, die eigentlich nichts gemeinsam haben, außer dass sie beide am Abgrund stehen, und deren einzige Hoffnung es ist, sich aneinander festzuhalten. Doch noch weiß Leticia nicht, dass Hank ihren Mann zur Exekution begleitete ... Hauptdarstellerin Halle Berry lebte 1996 in Atlanta, wo auch »Monster's Ball« spielt, und ist dort Rassisten begegnet.

Sie war damals mit einem Baseballspieler verheiratet und erinnerte sich: »Wir saßen in einem Restaurant und diskutierten etwas sehr Persönliches. Dann kam jemand an unseren Tisch und fragte nach unseren Autogrammen. Mein damaliger Mann sagte dann, dass wir gerade etwas Wichtiges zu besprechen haben, den Wunsch aber gerne nach dem Essen erfüllen würden. Die Frau, die uns gefragt hatte, wurde daraufhin sehr ärgerlich und sagte, dass sie doch nichts von uns wolle, weil wir ja nichts weiter als ein paar Nigger wären. Das hat sie uns direkt ins Gesicht gesagt. So waren wir in einem Moment Idole und im nächsten nur noch der Dreck an ihrer Schuhsohle.«

Monster's Ball, Drama, USA 2001, Regie: Marc Forster, Buch: Milo Addica und Will Rokos, Kamera: Roberto Schaefer, Musik: Asche & Spencer, Chris Beaty, Thad Spencer, Richardo Werbowenko, Joel High, Produzent: Lee Daniels. Mit: Billy Bob Thornton, Halle Berry, Peter Boyle, Heath Ledger, Sean »Puffy« Combs, Mos Def, Coronji Calhoun, Taylor Simpson, Corinji Calhoun, Gabrielle Witcher, Amber Rules, Charles Cowan Jr., Taylor LaGrange, Anthony Bean, Francine Segal, John McConnell, Marcus Lyle Brown, Milo Addica, Leah Loftin, Will Rokos, Anthony Michael Frederick, Clara Daniels, Carol Sutton, Bernard Johnson

Neben Billy Bob Thornton und Halle Berry in der wohl wichtigsten Rolle ihrer Karriere, die ihr nicht nur den Oscar, sondern auch den Silbernen Bären der Berlinale einbrachte, bietet MONSTER'S BALL ein erstklassiges Ensemble bis in die kleinste Nebenrolle. Ernst und erhaben wie nie sind etwa Rap-Superstar Sean »Puffy« Combs und Heath Ledger zu sehen.

»In England richten sie dem Todgeweihten in der Nacht vor seiner Hinrichtung eine ›Party‹ aus. Sie nennen das ›Monster's Ball‹. Wir können nicht über ihn und seine Tat nachdenken. Es ist einfach unser Job.«

BILLY BOB THORNTON
als Hank Grotowski

»Du hasst mich ... Antworte mir! Du hasst mich, habe ich recht?«

MONSTER'S BALL

»In MONSTER'S BALL ist Heath Ledger wegen seines verständlichen, aber unangebrachten Mitgefühls für Häftlinge nicht in der Lage, dem harten Vater zu folgen. Und als wir bei der Arbeit im Knast einen Koch kennen und schätzen lernten, klärte uns der Direktor erst viel später darüber auf, dass der Mann einst seine Mutter zerhackt und in den Kühlschrank gelegt hatte.«

Regisseur MARC FORSTER

»Ich sprach auf das Drehbuch aus persönlichen und aus gesellschaftlichen Gründen an. Zunächst waren mir die tangierten Themen wichtig – das Brechen familiärer Zyklen von Gewalt, Rassismus und Misshandlung ganz ohne predigerhafte Untertöne. Hinzu kam, dass ich selbst einen Bruder durch Selbstmord verloren habe und weiß, dass sich Hinterbliebene furchtbare Vorwürfe machen. Doch wie im Leben ist auch in MONSTER'S BALL am Ende Erlösung und Sühne möglich. Ohne diese Hoffnung hätte ich das Material nicht halb so stark gefunden. Ich glaube fest, dass sich Menschen ändern können – und manchmal fast zur Verbesserung ihrer Lebensumstände gezwungen werden müssen. Hank und Leticia etwa erleiden schwerste Verluste, bevor sie erkennen, dass all die schlechten Seiten ihrer verzweifelten Menschlichkeit im Wunsch wurzeln, geliebt zu werden.«

Regisseur MARC FORSTER

In der kleinen, aber wichtigen Rolle in MONSTER'S BALL, die Heath angenommen hatte, um Wes Bentley einen Gefallen zu tun, konnte er sich endlich als Charakterdarsteller beweisen.

Die vier Federn

Das epische Abenteuer von Regisseur Shekhar Kapur basiert auf dem Romanklassiker von A. E. W. Mason und beschreibt die Odyssee eines jungen Soldaten. Es ist die sechste Verfilmung des Erbauungs-Romans für wehrtüchtige Männer. London, 19. Jahrhundert.

Als der Jungoffizier Harry Feversham (Heath Ledger) sein Land im Sudan verteidigen soll, beschließt er, seinen Dienst in der Armee zu quittieren. Seine drei besten Freunde und seine Verlobte Ethne (Kate Hudson) haben kein Verständnis für seine Motive – und schicken ihm daraufhin vier Federn, als Symbol für seine Feigheit gegenüber seinem Land.

Der Vorwurf verletzt ihn zutiefst, sodass er es nicht lange im Zivilleben aushält. Alleine und unbemerkt von seinen Freunden, reist er ihnen nach in die Wüste des Sudans. Im fremden Land werden Harrys Neugier, sein Mut, seine Stärke konstant gefordert. Ungewöhnliche Begegnungen, wie mit dem mysteriösen Abou Fatma (Djimon Hounsou), verändern allmählich Harrys Blick auf die Welt.

Als Araber verkleidet, kann er seinen Freunden im Krieg unerkannt das Leben retten. Als sich die Wege von Harry und von seinem besten Freund und Nebenbuhler Jack (Wes Bentley) nochmals trennen, und sich Harrys Spur einmal mehr in der Wüste verliert, scheint eine Rückkehr nach England ungewiss ...

Die Geschichte eines britischen Nachschub-Regiments, dessen Stolz und Traditionen ebenso herausgearbeitet werden wie Verletzlichkeit und Großmacht-Arroganz. Die Hauptfigur Harry Feversham wird im Spannungsfeld zwischen sozialem Zwang zum Patriotismus und Skepsis gegenüber blindem Eroberungskrieg zerrieben.

Über die historischen Hintergründe des Stoffes sagt der Co-Drehbuchautor Hossein Amini: »Das imperiale England konfrontierte eine Außenwelt, über die es sehr wenig wusste, und die jungen Männer wurden von fanatischen Herrenhäusern in die Mitte der Wüste geworfen, wo der Glaube an ihre Überlegenheit erst zu Fehlern und dann zu einem militärischen wie menschlichen Desaster führte.«

The Four Feathers, Kriegsfilm, USA 2002, Regie: Shekhar Kapur, Buch: Michael Schiffer und Hossein Amini, Kamera: Robert Richardson, Musik: James Horner, Produzenten: Robert Jaffe, Stanley R. Jaffe, Marty Katz, Paul Feldsher. Mit: Heath Ledger, Wes Bentley, Kate Hudson, Djimon Hounsou, Michael Sheen, Laila Rouass, Lucy Gordon, Nick Holder, Alex Jennings, Kris Marshall, Rupert Penry-Jones, Ben Uttley, Tim Pigott-Smith

»Das Skript war sensationell, und die Teilnahme an diesem Film erwies sich als ungeahnte Reise für mich. Sowohl körperlich als auch seelisch, mental und spirituell das Härteste, was ich je gemacht habe – und ich bereue keine Sekunde.«
HEATH LEDGER

Eine der historischen Ungenauigkeiten besteht darin, dass das Regiment rote Uniformen trägt, obwohl es damals im Einsatz im Sudan graufarbene Tracht trug. Dem Regisseur war dies bekannt, er wählte jedoch aufgrund des Farbkontrasts das rote Uniformtuch.

»Durrance ist besessen von seiner Moral und klar definierten Weltsicht, bis er selbst in moralische Grauzonen gezwungen wird und erkennen mußs, wer er wirklich ist. Wes Bentley ist hervorragend in dem Part, denn ich brauchte jemanden, der Entschlossenheit und eine obsessive Persönlichkeit ausdrücken kann. Die stahlblauen Augen von Wes sind dabei schon fast ein Symbol seiner Klarheit, während seine spätere Erblindung eine Metapher für den Verlust von Klarsicht ist.«

Regisseur SHEKHAR KAPUR

In dem den Film eröffnenden Rugby-Match unterbricht der Schiedsrichter das Spiel erst nach drei schweren Fouls, obwohl dies schon nach einem einzelnen hätte geschehen müssen. Laut Audiokommentar wollte Kapur damit aufzeigen, dass diese extrem auf Konventionen und Regeln bedachte viktorianische Gesellschaft ausgerechnet in ihren Sportarten bereits den Kampf und die Brutalität ihres Imperialismus vorausgenommen hatte.

»Es heißt, dass man uns vielleicht ins Ausland schickt. Für ein Jahr oder zwei. Und ich wollte nicht so lange warten, bis wir heiraten.« DIE VIER FEDERN

»Man sieht, dass Heath ein Mensch ist, der ein wenig mehr vom Leben versteht und ein wenig mehr darüber nachgedacht hat, statt nur ein Junge mit einem interessanten Gesicht zu sein.«
SHEKHAR KAPUR, Regisseur von DIE VIER FEDERN

Abou Fatma: »Gott hat dich mir über den Weg geschickt. Ich hatte keine Wahl.«
Harry Faversham: »Gott? Einen Engländer … und Christen?
Dann musst du ihn ja schrecklich gegen dich aufgebracht haben.«
DIE VIER FEDERN

»Der Film ist im Kern eine Geschichte über junge Burschen, die im Krieg zu Männern werden und er zeigt den Wandel von jungenhafter Naivität zu einem Punkte, an dem Zweifel und realistische Selbstbespiegelung möglich sind. Als Filmemacher zeige ich das England jener Jahre als einen Ort, an dem Fragen nicht erlaubt waren – der Sudan jedoch ist ein Platz, wo elementare Fragen gestellt werden müssen, wenn man überleben will. Harry Feversham nimmt dabei die Figur mit den größten Selbstzweifeln ein, und ich suchte lange nach einem Schauspieler, der auch in der Niederlage würdevoll sein und dem Publikum wachsende Weisheit kommunizieren kann. Und als ich schließlich Heath Ledger testete, war ich überrascht, welch seelische Tiefe er zu zeigen in der Lage ist.«

SHEKAR KAPUR
Regisseur von DIE VIER FEDERN

»Ja, Heath Ledger ist sexy, nicht schön im herkömmlichen Sinne, aber seine Augen haben etwas. Sie können unglaublich mitfühlend aussehen.«

SHEKHAR KAPUR,
Regisseur von DIE VIER FEDERN

Für den Realismus bei Schlachtsequenzen war Militär-Koordinator Henry Camilleri verantwortlich, der den vielen gelernten Soldaten unter den Statisten ihre Modernität austreiben und die akkuraten Marschiertechniken des 18. Jahrhunderts beibringen musste.

»Man lernt nicht, Schauspieler zu sein, indem man in einen Spiegel schaut. Man merkt es, wenn Schauspieler das getan haben. Es ist gefährlich, denn bei der Schauspielerei geht es nicht darum, was das Gesicht macht. Wenn man mit dem Gesicht voran schauspielt, dann hat man das Gesicht erarbeitet, aber nicht die wahren inneren Gedanken.«

HEATH LEDGER

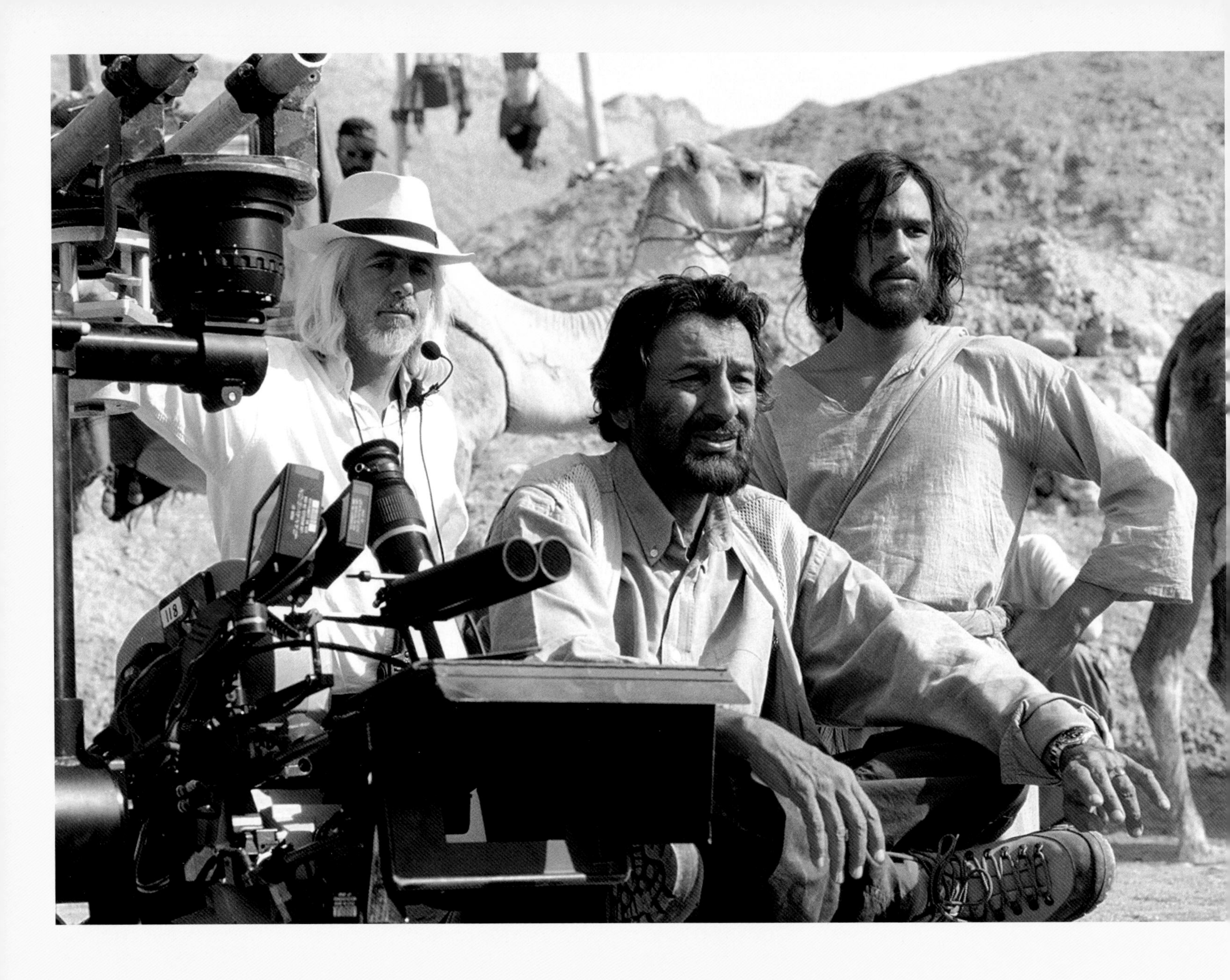

»Ich bin immer noch ein Kind. Ich bin ungefähr sechs Jahre alt. Aber es geht nur um den Willen, aufzustehen, es ist einfach eine große Reise. Als ich von zu Hause weg bin, hatte ich das Gefühl, auf einer Reise zu sein, und das bin ich immer noch.« HEATH LEDGER

»Der Film ist im Kern eine Geschichte über junge Burschen, die im Krieg zu Männern werden und er zeigt den Wandel von jungenhafter Naivität zu einem Punkte, an dem Zweifel und realistische Selbstbespiegelung möglich sind. Als Filmemacher zeige ich das England jener Jahre als einen Ort, an dem Fragen nicht erlaubt waren – der Sudan jedoch ist ein Platz, wo elementare Fragen gestellt werden müssen, wenn man überleben will. Harry Feversham nimmt dabei die Figur mit den größten Selbstzweifeln ein, und ich suchte lange nach einem Schauspieler, der auch in der Niederlage würdevoll sein und dem Publikum wachsende Weisheit kommunizieren kann. Und als ich schließlich Heath Ledger testete, war ich überrascht, welch seelische Tiefe er zu zeigen in der Lage ist.« SHEKAR KAPUR

Regisseur von DIE VIER FEDERN

»Es war unter den jungen Männern jener Zeit undenkbar, die Pflicht zum Kampf für das Vaterland anzuzweifeln, was Harrys moralische Zweifel besonders interessant macht. Denn um sich mit seinen Ängsten zu konfrontieren, muss er ihnen begegnen, bis letztlich die Frage bleibt, was seine Kündigung des militärischen Dienstes wirklich war. Ein Akt der Feigheit oder nicht doch etwa ein Zeichen immensen Mutes? Der Film ist im Kern eine Geschichte über junge Burschen, die im Krieg zu Männern werden, und er zeigt den Wandel von jungenhafter Naivität zu einem Punkt, an dem Zweifel und realistische Selbstbespiegelung möglich sind. Als Filmemacher zeige ich das England jener Jahre als einen Ort, an dem Fragen nicht erlaubt waren – der Sudan jedoch ist ein Platz, wo elementare Fragen gestellt werden müssen, wenn man überleben will. Harry Feversham nimmt dabei die Figur mit den größten Selbstzweifeln ein, und ich suchte lange nach einem Schauspieler, der auch in der Niederlage würdevoll sein und dem Publikum wachsende Weisheit kommunizieren kann. Und als ich schließlich Heath Ledger testete, war ich überrascht, welch seelische Tiefe er zu zeigen in der Lage ist.«

SHEKHAR KAPUR,
Regisseur von DIE VIER FEDERN

Heath Ledger mit Kameramann Robert Richardson und Regisseur Shekhar Kapur am Set von DIE VIER FEDERN

GESETZLOS – DIE GESCHICHTE DES NED KELLY

Australien 1871. Ned Kelly (Heath Ledger) ist der Sohn eines nach Australien verbannten Iren. Nur mühsam fasst seine Familie in dem kaum zivilisierten Land Fuß. Als Ned eines Tages ein geflohenes Pferd zuläuft, wird er von der schikanösen viktorianischen Polizei, die Iren grundsätzlich für Kriminelle hält, des Diebstahls bezichtigt.

Drei Jahre verbringt der Unschuldige hinter Gittern und kehrt daraufhin zu seiner Familie zurück, die inzwischen am Hungertuch nagt. Um seine jüngeren Brüder durchzubringen, verdient Ned Geld mit Boxkämpfen und Farmarbeiten für reiche englische Familien. Bei einem solchen Job trifft er die bezaubernde Julia (Naomi Watts).

Während Ned sich auf eine Affäre mit der verheirateten Mutter einlässt, eskaliert die Situation im Haus der Kellys: Der betrunkene Polizist Fitzpatrick (Kiri Paramore) erscheint mit einem fingierten Haftbefehl, hat es jedoch auf Neds Schwester Kate (Kerry Condon) abgesehen. Als sie ihn zurückweist, beschuldigt er Ned, der gar nicht anwesend ist, er habe auf ihn geschossen.

Julia gibt ihrem Liebhaber kein Alibi, und so bleibt Ned nur die Flucht in die Wälder. Mit seinen Freunden Joe Byrne (Orlando Bloom) und Steve Hart (Phil Barantini) beginnt er, Banken auszurauben – das Geld gibt er à la Robin Hood den hoch verschuldeten Farmern und Arbeitern.

Die Kelly-Bande avanciert zum Staatsfeind Nummer eins, doch für die Menschen werden sie zu Helden, die sich gegen die Ungerechtigkeit der englischen Krone auflehnen. Die Regierung rekrutiert den skrupellosen Inspektor Francis Hare (Geoffrey Rush), dessen Armee sich die Kellys im spektakulären Shootout mit selbst gebastelten kugelsicheren Rüstungen entgegenstellen.

Episches Westernabenteuer über den authentischen Outlaw Ned Kelly (1854–1880), dessen Ruhm und Untergang bereits 1970 mit Mick Jagger in der Titelrolle verfilmt wurde. Regisseur Gregor Jordan hat den Stoff wirkungsvoll als historisches Drama mit gebrochenen Hauptfiguren in Szene gesetzt.

Ned Kelly, Western, Australien, Großbritannien, Frankreich 2002, Regie: Gregor Jordan, Buch: John Michael McDonagh, Kamera: Oliver Stapleton, Musik: Klaus Badelt, Produzenten: Lynda House, Nelson Woss, Liza Chasin, Debra Hayward. Mit: Heath Ledger, Orlando Bloom, Naomi Watts, Geoffrey Rush, Rachel Griffiths, Laurence Kinlan, Philip Barantini, Joel Edgerton, Kiri Paramore, Kerry Condon, Emily Jane Browning, Geoff Morrell, Charles Tingwell, Peter Phelps, Russell Dykstra, Nicholas Bell, Robert Taylor

»Ich wollte den Blondschopf aus meiner Karriere wegbekommen, die Richtung, die sie einschlug, zerstören.« HEATH LEDGER

»Gregor Jordan (›Army Go Home‹) drehte dieses ein wenig zähe Westernabenteuer mit tollen Landschaftsaufnahmen um den gleichnamigen australischen Outlaw Ned Kelly (1854 – 1880), dessen Ruhm und Untergang bereits Tony Richardson 1970 mit Mick Jagger in ›Kelly, der Bandit‹ thematisierte. Der im Januar 2008 verstorbene Heath Ledger ist hier in der Rolle des Outlaws wider Willen zu sehen, an seiner Seite glänzt der seinerzeit noch unbekannte Orlando Bloom.« PRISMA.DE

»Ich habe als Kind viel über Ned gelesen. Ich fand den Gedanken aufregend, eine Legende zum Leben zu erwecken.«
HEATH LEDGER

»Heath hat die mutige Entscheidung getroffen, weil er ein Schauspieler und kein Star sein wollte.«

GREGOR JORDAN, Regisseur

»War das nicht die Herausforderung Ihres Lebens, Superintendent? Sie konnten mich nicht kriegen und weil sie das wussten, nahmen sie stattdessen meine Freunde in Haft. Über hundert Männer, ohne Verfahren in stinkende Zellen gesteckt, während die Ernte auf den Feldern verkam. Wisst ihr was? Keiner von ihnen wurde weich und versuchte, die Belohnung zu bekommen. Nicht ein Einziger. Sie liebten mich genauso und hassten euch umso mehr. Dachtet ihr wirklich, ich würde sie alle im Stich lassen?«

GESETZLOS – DIE GESCHICHTE DES NED KELLY

Im Juni 2008 stellte Gregor Jordan, der Regisseur von GESETZLOS – DIE GESCHICHTE DES NED KELLY, einen neuen Award vor – das HEATH-LEDGER-STIPENDIUM. Es wird jährlich an einen australischen Jungschauspieler überreicht werden, um ihn auf dem Weg nach Hollywood zu unterstützen.

»Man sagt, das Problem der Iren sei, dass sie zu viel auf Träume und zu wenig auf Schießpulver bauen. Während die Engländer für gewöhnlich wenig Träume, aber viel Schießpulver haben. Wir hatten jetzt beides.«

GESETZLOS – DIE GESCHICHTE DES NED KELLY

Naomi Watts war im Februar 2004 als beste Schauspielerin bei den Oscars nominiert: Zusammen mit Heath Ledger kam sie zur Verleihung ins Kodak Theater in Hollywood.

Die Liebe zueinander entstand am Set des Films GESETZLOS – DIE GESCHICHTE DES NED KELLY, doch die Romanze zwischen Heath Ledger und Naomi Watts ging im April 2004 zu Ende.

In Begleitung von Naomi Watts bei den Screen Actors Guild Awards in Los Angeles im Februar 2004.

Heath Ledger in Sydney mit NfaMas vom
Melbourner HipHop-Trio 1200 TECHNIQUES.
Was beide von den Fotografen halten,
ist unschwer erkennbar.

Mit Naomi Watts auf einer Pressekonferenz für GESETZLOS – DIE GESCHICHTE DES NED KELLY, Melbourne im Jahr 2003.

Heath Ledger und Naomi Watts werden am Clovely Beach in Sydney von Paparazzi verfolgt.
Die Botschaft an den Fotografen ist auch hier sehr eindeutig.

Sin Eater – Die Seele des Bösen

Zeitreise durch die Schattenwelt der Kirche: Über Jahrhunderte bestand innerhalb der Kirche ein Geheimorden, der heute nur noch drei Mitglieder hat: Alex (Heath Ledger), ein junger New Yorker Priester, sein Pariser Kollege Thomas (Mark Addy) und ihr alter römischer Mentor Dominic (Francesco Carnelutti).

Ausgelöst durch den angeblichen Selbstmord Dominics, beginnt Alex eine Untersuchung der Todesumstände seines Freundes. Die Nachforschungen konfrontieren ihn mit Intrigen, Mord und der Erkenntnis, dass es ein Schicksal gibt, das schlimmer ist als der Tod. Zusammen mit Mara (Shannyn Sossamon), einer jungen Künstlerin, die ihn in Konflikt mit dem Zölibat bringt, und seinem Freund und Priesterkollegen Thomas gerät er auf die Spur eines »Sin Eaters« (Benno Fürmann), eines »Sündenessers«.

Ein längst verschwunden geglaubtes Wesen, das seit Jahrhunderten außerhalb der Kirche die Sünden vergibt, die nicht zu vergeben sind. Unter der Bürde der Sünden unzähliger Menschen, die er in vielen Jahrhunderten auf seine Schultern geladen hat, sehnt sich der Sündenesser nach der Ruhe und Stille des Todes. Das Trio von Amateur-Detektiven verfängt sich in dem dunklen Geheimnis dieses unsterblichen Wesens. Ihr Aufenthalt in der Ewigen Stadt wird zunehmend gefährlich. Sie bekommen Bedenken und bringen doch Licht in das Dunkel, das die Kirche lieber im Verborgenen gehalten hätte. Während der Priester den Pfaden des Bösen folgt, kämpft er darum, seine Seele und die seiner Geliebten Mara zu retten ...

Im Jahr 1996 stolperte Regisseur und Drehbuchautor Brian Helgeland über den mittelalterlichen Begriff »Sin Eater« – eine Person, die die Sünden eines Verstorbenen in sich aufnimmt. Das Konzept faszinierte Helgeland, vor allem das Bild des »Sündenessens«.

Der Film »Sin Eater« bedeutete für Helgeland auch ein Wiedersehen mit den Schauspielern Heath Ledger, Shannyn Sossamon und Mark Addy, die bereits bei seinem Mittelalter-Abenteuerfilm »Ritter aus Leidenschaft« mit von der Partie waren.

Sin Eater, Horror, USA 2003, Regie: Brian Helgeland, Buch: Brian Helgeland, Kamera: Nicola Pecorini, Musik: David Torn. Mit: Heath Ledger, Shannyn Sossamon, Mark Addy, Benno Fürmann, Peter Weller, Francesco Carnelutti

»Ich bin nicht gut darin, die Zukunft zu planen. Ich plane überhaupt nicht. Ich weiß nicht, was ich morgen machen werde. Ich habe keinen Terminkalender. Ich lebe völlig im Hier und Jetzt, nicht in der Vergangenheit, nicht in der Zukunft.«

HEATH LEDGER

William Eden führt den jungen Priester in das Ritual des Sündenessens ein, doch Alex (Heath Ledger) hat anderes im Sinn: Er ist entschlossen, sein Keuschheitsgelübde zurückzunehmen und mit Mara zusammenzuleben. Nichts liegt ihm ferner, als das unsterbliche Dasein eines Sündenträgers zu fristen.

Für Exkommunizierte, denen die katholische Kirche die Letzte Ölung verwehrte, gab es als letzte Hoffnung den Sündenesser – eine Art dämonischen Heiland, der die Schuld des anderen in sich aufnimmt und dafür ewig leben darf. Doch nicht jeder Sündenesser kommt mit dieser Last zurecht. Der Sin Eater (Benno Fürmann) sucht den ewigen Frieden und somit einen Nachfolger. Der Auserwählte ist Alex (Heath Ledger) ...

Eden erkennt, dass Mara seinen Plänen im Wege steht, und handelt: Er unterzieht sie seinem schrecklichen Ritual und als Alex sie findet, liegt sie bereits im Sterben. Um ihre Seele zu retten, bleibt ihm nichts anderes übrig, als zu ihrem Sündenträger zu werden.

»Ich werde mich immer auseinandernehmen und analysieren. Ich meine, es gibt bei dem, was wir tun, keine Perfektion.« HEATH LEDGER

»Alex ist zwischen zwei Welten hin- und hergerissen, der Liebe zu Mara und der Verbundenheit mit der Religion. Wie rein wird er bleiben?« HEATH LEDGER

»Mara ist gebrochen, verletzt und auch manchmal suizidgefährdet. Aber die Liebe zu Alex gibt ihr Kraft, sodass sie schließlich sehr mutig und intuitiv handelt. Zudem ist es ihre Aufgabe, ihn zu beschützen – auch wenn sie nicht genau weiß, wovor.«
SHANNYN SOSSAMON

»Thomas und Alex sind so etwas wie abtrünnige Priester, die sich in den schattigen Gefilden der Kirche bewegen. Wegen seines unerschütterlichen Glaubens fürchtet Thomas nichts und niemanden, nicht einmal die Hierarchie der Kirche. Sein ausgeprägter Humor trägt ihn durch manches, aber sein Glaube und sein positives Denken werden auf eine harte Probe gestellt, als er, Alex und Mara in einem undurchdringlichen Netz des Bösen gefangen werden.« MARK ADDY

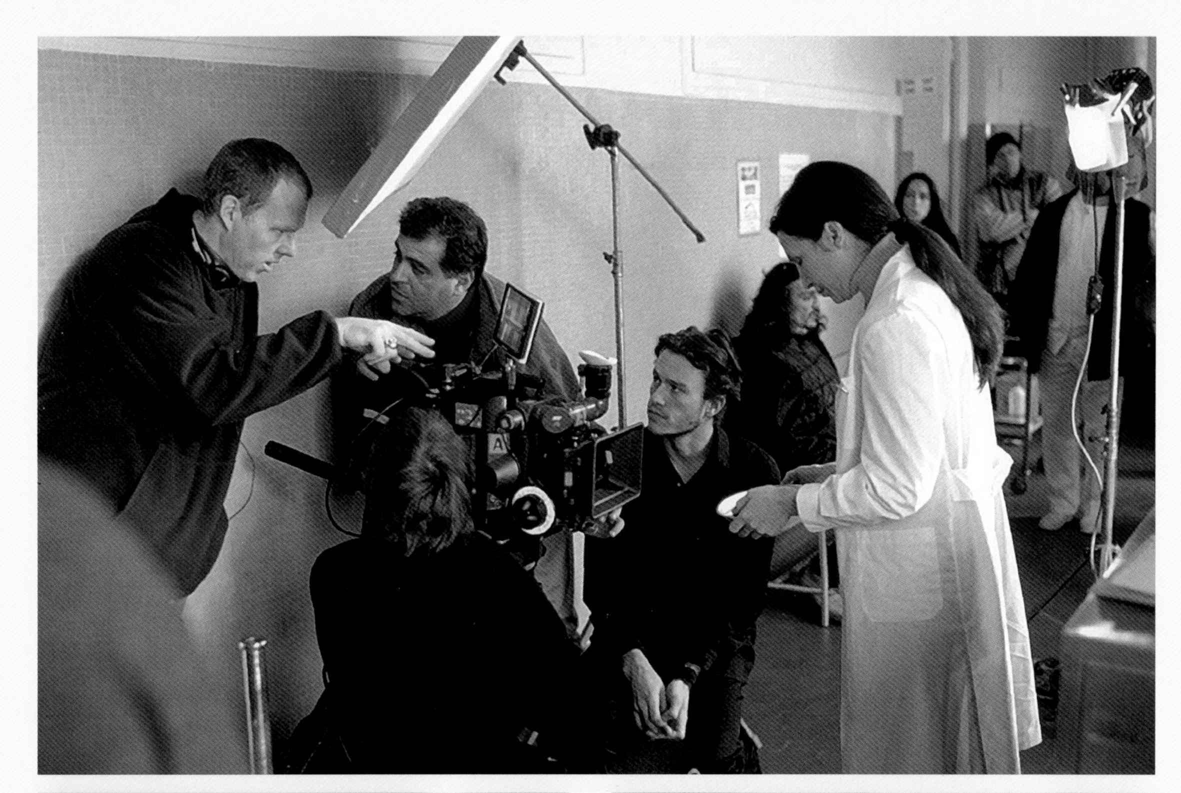

»Ich liebe das Streben, den Prozess, Teil von etwas zu sein, das größer ist als ich, denn es zwingt mich, mir Gedanken über mich und mein Leben zu machen.« HEATH LEDGER

»Kaum hatte ich das Glück, Benno Fürmann auf der Leinwand in DER KRIEGER UND DIE KAISERIN (2000) zu sehen, wusste ich, er war unser Sin Eater. Da gab es keine Frage. Es ist extrem selten, dass ein Schauspieler so genau der Vorstellung eines Drehbuchautors von seiner erdachten Rolle entspricht. Aber da war alles, was es brauchte, in Bennos unglaublichen Augen.« BRIAN HELGELAND

»Der Sündenträger stammt aus der Zeit des Mittelalters, als die katholische Kirche extrem viel Macht hatte. Wenn jemand starb, der exkommuniziert war und die Letzte Ölung nicht erhalten durfte, wurde ein Sin Eater gerufen, von dem man annahm, dass er die Sünden der Person vergeben könnte. Er sollte die Sünden direkt in seine Seele aufnehmen.« BRIAN HELGELAND

Dem Film war bei den Kritikern wie beim Publikum kein Erfolg beschieden. Die Zeitschrift CINEMA schrieb, der Film beinhalte »dämonischen Rumpelpumpel« und sei derart »grottenschlecht und gottserbärmlich langweilig, dass er in die tiefsten Bleikammern des Vatikan verbannt« gehöre.

»Und jetzt bin ich es. Ich bin gesegnet und verflucht ... denn jetzt besitze ich den Schlüssel zum himmlischen Königreich. Ich vergebe jenen, die Erlösung verdient haben. Und verdamme die, die sich selbst verdammt haben. Ich werde lernen zu leben, nachdem die Liebe gestorben ist. Ich bin der Sündenträger.«

SIN EATER – DIE SEELE DES BÖSEN

»Als er vor Jahrhunderten zum Sin Eater wurde, hatte er die allerbesten Absichten. Aber Edens Seele füllte sich zunehmend mit den Sünden der Sterbenden und dem Wissen um deren schändliches Verhalten. Irgendwo im Verlauf der Jahrhunderte lief alles schrecklich falsch.« BENNO FÜRMANN

»Am Anfang hatte ich noch Fragen. Am Anfang gab es für mich noch Geheimnisse.«
SIN EATER – DIE SEELE DES BÖSEN

»Jedes Leben ist ein Rätsel. Die Lösung zu meinem ist eine Erkenntnis aus der Welt der Finsternis.«

SIN EATER – DIE SEELE DES BÖSEN

Dogtown Boys

Die Ursprünge des Skatens aus der Sicht eines seiner Erfinder: Sie kommen aus Dogtown, einem heruntergekommenen Viertel im kalifornischen Venice, und prägten in den 1970ern eine neue Trend-Sportart: das Skateboarden. Tony Alva (Victor Rasuk), Stacey Parelta (John Robinson) und Jay Adams (Emile Hirsch) sind eine Gruppe tougher Surfer, die rund um das Pacific Ocean Park Pier als unerschrockene Wellenreiter bekannt sind. Ihre Surf-Techniken kombinieren sie mit der Kunst des Skatens und werden dadurch zur örtlichen Sensation und zu gefeierten Helden der Szene.

In den leeren Swimmingpools umstehender Häuser finden sie – ohne das Wissen der Besitzer – einen neuen Übungsplatz. Dort perfektionieren sie heimlich ihren Stil und ebnen den Weg für das, was man heute als »Extremsport« kennt. Trotzdem müssen sie sich immer wieder gegen die lokalen Surf-Größen Skip Engblom (Heath Ledger) und Chino (Vincent Lareska) behaupten. Als Skip entdeckt, was die Jungs mit ihren Skateboards alles veranstalten können, ist er Feuer und Flamme und formt aus den Adrenalinjunkies die Z-Boys, benannt nach seinem Zephyr-Surfshop, um die Skate-Wettbewerbe aufzumischen. Der lockere Lebensstil der Z-Boys löst einen Boom und eine Kommerzialisierung der Szene aus, sodass die Freundschaft alsbald auf dem Prüfstand steht ...

Der legendäre Z-Boy Stacy Peralta hat nach dem Skaten und dem Wellenreiten auch das Kino für sich entdeckt. In Dokumentationen über das Wellenreiten und das Skaten erzählte er seine Geschichte, so etwa in »Dogtown and Z-Boys« (Regie, Drehbuch) und »Riding Giants« (Regie, Drehbuch und Produktion).

Zu »Dogtown Boys« steuerte er das Drehbuch bei. Catherine Hardwicke inszenierte einen Actionfilm mit unfassbaren Skateszenen, in dem neben Heath Ledger eine Reihe viel versprechender Newcomer zu sehen ist: Die Geschichte einer Gruppe von Teenagern, die aus dem Nichts kamen und die Welt verändern sollten, wird von Emile Hirsch, Victor Rasuk und John Robinson verkörpert.

Lords of Dogtown, Drama, USA 2005, Regie: Catherine Hardwicke, Buch: Stacy Peralta, Lyn Norton, Craig Stecyk, Kamera: Elliot Davis, Musik: Mark Mothersbaugh. Mit: Heath Ledger, Victor Rasuk, Emile Hirsch, John Robinson, Michael Angarano, Nikki Reed, Rebecca De Mornay, Johnny Knoxville, America Ferrera, Pablo Schreiber, Elden Henson, Eddie Cahill, Shea Whigham

»Als man mich gefragt hat, wer mich spielen sollte,
sagte ich: Heath Ledger. Wir haben uns kennengelernt und es war seltsam,
wie ähnlich wir uns waren. Ich mochte ihn sofort.«
SKIP ENGBLOM

»Wir sind Skip Engblom und das Zephyr-Skatboardteam.
Hier ist unser Startgeld. Wo sind unsere Pokale?«
DOGTOWN BOYS

»Hi. Das ist keine Bibliothek ... also wenn du dich hier umsehen willst,
macht das zehn Mäuse. Hast du zehn Mäuse?«
DOGTOWN BOYS

»Ihr müsst jeden Tag so fahren,
als ob's euer letzter ist.«
DOGTOWN BOYS

»Hey, ihr Jungs habt bei dem Contest ordentlich auf die Kacke
gehauen. Jetzt seid ihr für die die Feinde, korrekt?«
DOGTOWN BOYS

»Zweihundert Jahre amerikanischer Technologie haben
unbeabsichtigt einen riesigen Spielplatz grenzenlosen Potenzials geschaffen.
Aber es war der Geist Elfjähriger, der dieses Potenzial erkennen konnte.«
Drehbuchautor CRAIG STECYK

Rasante Rollbrett-Action um die Begründer des modernen Skateboard-Fahrens: In den 70er-Jahren mischt eine ungestüme Truppe namens »Z-Boys« die noch junge Skater-Szene auf. Angeführt von Surfer-Guru Skip (Heath Ledger) erlangen die tollkühnen Jungs bald Star-Status. Der schnelle Ruhm und das wilde Leben fordern eines Tages ihren Tribut.

Ein Teil der Crew von DOGTOWN BOYS – Johnny Knoxville, Produzent John Linson, Heath Ledger, Rebecca De Mornay und Drehbuchautor Stacy Peralta, ein ehemaliger professioneller Skateboarder (v.l.n.r.)

Insgesamt drei Mal war Heath Ledger in THE TONIGHT SHOW WITH JAY LENO zu Gast: am 19. März 2004, am 16. Mai 2005 und zuletzt am 17. Januar 2006. Die amerikanische Talklegende und der junge Star verstanden sich augenscheinlich sehr gut miteinander.

Brothers Grimm

Es war einmal ... zu Beginn des 19. Jahrhunderts, Deutschland ächzt unter der Besatzung Frankreichs. Die Brüder Will und Jake Grimm (Matt Damon und Heath Ledger) sind als Geisteraustreiber unterwegs und stets zur Stelle, wenn einsame Gemeinden von vermeintlichen Dämonen und Hexen heimgesucht werden. Zuverlässig befreien sie die Dorfbewohner von den unheimlichen Erscheinungen.

Kein Wunder: Bei dem Spuk handelt es sich um faulen Zauber, von den findigen Brüdern selbst inszeniert, um sich Geld und Unterbringung zu ergaunern. Als die Besatzungsmächte den Grimms auf die Schliche kommen, wird ihnen nur eine Alternative zur Todesstrafe wegen Hochstapelei gegeben: In einem verwunschenen Wald sollen Will und Jake das Geheimnis von zehn spurlos verschwundenen Mädchen aufdecken – und stoßen dabei auf einen schrecklichen Fluch, der nur durch entschlossenes Handeln gebrochen werden kann. Dumm nur, dass die Brüder ausgemachte Hasenfüße sind und von Exorzismus in Wahrheit keinen blassen Schimmer haben ...

Die Gebrüder Grimm zogen durchs Land, um Märchen zu sammeln und weiter zu verbreiten – Märchen voller Gefahren und Geheimnisse, die bis heute Leser und Zuhörer jeder Altersgruppe verzaubern und erschrecken.

Für Terry Gilliam – der Filme wie »Brazil« (1985), »12 Monkeys« (1996) oder »König der Fischer« (1991) schuf – stand von Anfang an fest, sich nicht weiter mit der tatsächlichen Biografie der Gebrüder Grimm aufzuhalten: »Wir stehen bei den wahren Gebrüdern Grimm in tiefster Schuld, aber in dem Film wird nicht ihr historisch belegtes Leben aufgerollt. Wir haben im Grunde ein Märchen über sie entwickelt.«

Der Film kombiniert Elemente von Komödie, Fantasy, Horror und Romanze und formt daraus ein episches Abenteuer, das von den bekanntesten Geschichten, die jemals erzählt wurden, inspiriert ist. Am Anfang sind die Brüder nichts weiter als kleine Schwindler, die dann aber beweisen müssen, dass auch sie das Zeug zu Helden haben.

The Brothers Grimm, Fantasyabenteuer, Großbritannien, Tschechien, USA 2005, Regie: Terry Gilliam, Buch: Ehren Kruger, Terry Gilliam, Kamera: Newton Thomas Sigel, Nicola Pecorini, Musik: Dario Marianelli. Mit: Matt Damon, Heath Ledger, Monica Bellucci, Peter Stormare, Lena Headey, Jonathan Pryce, Tomas Hanak, Julian Bleach, Mackenzie Crook, Richard Ridings, Barbora Lukesova, Anna Rust, Radim Kalvoda, Martin Hofmann, Harry Gilliam, Miroslav Táborsky, Roger Ashton-Griffiths, Marika Sarah Procházková, Rudolf Pellar, Hanus Bor, Ota Filip, Audrey Hamm, Annika Murjahn, Lukas Bech, Karel Kohlicek, Bruce McEwan, Martin Kavan, Denisa Vokurkova, Jan Unger, Laura Greenwood, Frantisek Velecky, Jakub Zindulka, Milan Gargula, Drahomira Fialkova, Ludek Elias, Jana Radojcicová, Josef Vajnar

»Ich fand schon immer, dass Terry Gilliam völlig brillant ist. Er hievte das Projekt auf eine völlig andere Ebene. Und er inspirierte uns und alle anderen Beteiligten zu einer Exzentrik, einem Wagemut, einer ganz eigenen Qualität. Die ganze Produktion fühlte sich so neu und anders an ... sie fühlte sich nach purem Spaß und Freude an.« HEATH LEDGER

»Wir haben im Grunde ein Märchen über sie entwickelt, in dem sie zunächst rüberkommen wie hippe und heroische Jungs, die von Dorf zu Dorf reisen, um die Bewohner von Trolls, Hexen und allerlei fantastischen Albträumen zu befreien – aber sehr schnell finden wir heraus, dass es sich um einen groß angelegten Schwindel handelt. In der Zwischenzeit versucht Napoleons Armee, die Deutschland besetzt hat, Betrügern wie den Grimms auf die Spur zu kommen und zur Rechenschaft zu ziehen. Schnell finden sich jedoch alle Beteiligten in einer Welt wieder, die genau so ist wie die Märchen, die die Grimms sammeln. Letztendlich sind alle Märchen wahr geworden – und die Realität ist untrennbar mit dem Reich der Fantasie verbunden.« TERRY GILLIAM

»Märchen sind meine Welt – die Welt der Fantasy und der außergewöhnlichen Dinge. Wir hatten ein Drehbuch, an das ich voll und ganz glaubte. Die Idee dahinter war, absolut wahrhaftige Figuren in der realen Welt zu erschaffen. Wenn dann diese merkwürdigen und beängstigenden Märchenelemente Einzug halten und die Handlung übernehmen, dann fällt es dem Publikum leicht, sich dieser Welt hinzugeben. Ich fand, dass es viel Spaß machen würde, dieser Idee nachzugehen.«

TERRY GILLIAM

»Matt und Heath sind für mich ganz eindeutig das Herzstück des Films. Zunächst dachte ich allerdings, dass Matt die andere Rolle, Jake, spielen sollte, weil er eigentlich wie gemacht ist für etwas introspektivere, sensible Figuren. Und Heath sah ich eigentlich als Will, weil man ihn meistens als etwas konventionelleren Helden besetzt. Aber dann stellte sich Matt bei unserem ersten Treffen vor und bestand darauf, Will zu spielen. Ich war mir zuerst nicht sicher, ob das eine gute Idee sei. Aber dann meinte Heath beim ersten Treffen: ›Nun, ich würde gerne Jake spielen‹. Da erkannte ich, dass das die richtige Entscheidung wäre, denn eigentlich liebe ich es, Schauspieler gegen ihren Rollentypus zu besetzen und die Dinge auf den Kopf zu stellen. Es funktionierte, weil beide in ihren Rollen voller Überraschungen stecken. Weder den einen noch den anderen hat man jemals so gesehen wie in diesem Film.«

TERRY GILLIAM

»Die Rolle des Jake Grimm war eine ausgezeichnete Gelegenheit, aus meiner Haut zu fahren. Es ist eine komische Rolle, und Terry schenkte mir die Gabe, mich komfortabel und frei genug zu fühlen, Extreme auszuloten und mich ehrlich auszudrücken. Ich hatte dabei die beste Zeit meines Lebens.«
HEATH LEDGER

»Heath kennt man eher als konventionellen Helden, aber hier offenbart er eine nervösere, leise Seite, die absolut faszinierend ist. Wie Matt gab er zu keiner Sekunde auf, bis er die Rolle perfekt intus hatte. Beide waren überaus beeindruckend.« TERRY GILLIAM

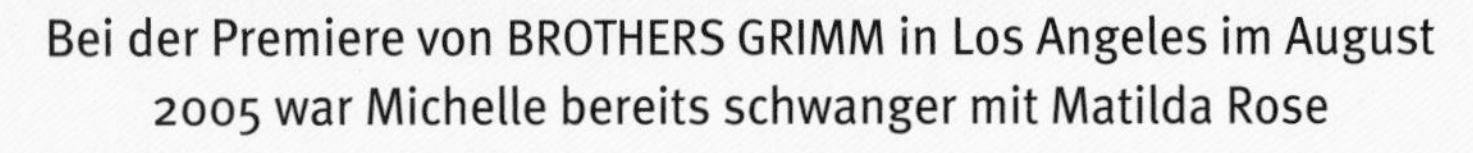
Bei der Premiere von BROTHERS GRIMM in Los Angeles im August 2005 war Michelle bereits schwanger mit Matilda Rose

Michelle und Heath einen Monat nach Matildas Geburt bei den Gotham Awards in New York im November 2005

Große Freude bereitete es Heath Ledger, so schnell wie möglich Blutsbrüderschaft mit Matt Damon zu schließen: »Das ist ein ziemlich persönlicher Vorgang, in Blitzgeschwindigkeit der Bruder eines anderen zu werden. Wir haben viele verschiedene Wege ausprobiert, uns miteinander zu synchronisieren, ähnlich zu lächeln und zu lachen. Wir beobachteten die Eigenschaften und Bewegungen des anderen und versuchten, sie aneinander anzugleichen. Die Idee war, manche Gemeinsamkeiten und viele gewaltige Kontraste zu haben – wie das bei Brüdern oft so ist.« Auf dem Foto mit Matt Damon auf dem Filmfestival in Venedig, wo sie BROTHERS GRIMM im September 2005 vorstellten.

Brokeback Mountain

Mischung aus Wild-West-Idylle und Homosexuellen-Drama: Nach einer Kurzgeschichte von Annie Proulx wird hier die tabuisierte, in einigen US-Staaten heute noch strafrechtlich verfolgte Homo- bzw. Bisexualität thematisiert.

Die Geschichte beginnt im Jahr 1963, im erzkonservativen Wyoming, wo die beiden jungen Rancharbeiter Ennis Del Mar (Heath Ledger) und Jack Twist (Jake Gyllenhaal) als Sommerjob zum Schafehüten in die Berge ziehen. Nur langsam freunden sich der schweigsame Ennis und der temperamentvollere Jack bei karger Bohnenkost und Whiskey am Lagerfeuer an.

Als eine kalte Nacht sie zusammen ins Zelt zwingt, flammt die Leidenschaft auf. Doch die beginnende Liebe können sie weder sich selbst und schon gar nicht der Außenwelt eingestehen. »Damit das klar ist, ich bin nicht schwul«, sagt der eine am Morgen danach. »Ich auch nicht«, bekräftigt der andere.

Nach diesem Sommer trennen sich ihre Wege, beide heiraten, werden Väter und können trotzdem nicht voneinander lassen. Über Jahrzehnte hinweg treffen sie sich regelmäßig wieder. Es wären harmlose Angeltouren unter Freunden, so erzählen sie es ihren Ehefrauen, doch stets kehren sie ohne Fische aus den Bergen zurück. Bis Jack einen letzten verzweifelten Versuch unternimmt, für ihre gemeinsame Zukunft zu kämpfen ...

Mit wenigen Worten drückt Heath Ledger die ganze Bandbreite von Ennis' Zerrissenheit, Scham, Angst und Sehnsüchten aus. Jack will als treibende Kraft nicht vor den gesellschaftlichen Zwängen kapitulieren. Ang Lees preisgekrönter Western bricht mit einem der letzten Tabus des amerikanischen Kinos. Zum ersten Mal steht in diesem Genre ein schwules Cowboy-Paar im Mittelpunkt. Damit dringt ein Thema in die Männer-Domäne Wilder Westen, das in anderen Werken des Western-Genres allenfalls versteckt angedeutet wurde.

Die katholischen US-Bischöfe der USA lehnten den Film ab und stuften ihn als »moralisch anstößig« ein, weil der Film nicht nur von Unmoral handele, sondern in seinem ungezügelten romantisierenden Leichtsinn auch zu ihr verführe.

Brokeback Mountain, Drama, USA 2005, Regie: Ang Lee, Buch: Larry McMurtry und Diana Ossana, Kamera: Rodrigo Prieto, Autor: E. Annie Proulx, Musik: Gustavo Santaolalla, Bernie Taupin, Produzenten: Diana Ossana und James Schamus. Mit: Heath Ledger, Jake Gyllenhaal, Anne Hathaway, Michelle Williams, Randy Quaid, Scott Michael Campbell, Linda Cardellini, Anna Faris, Kate Mara, Cheyenne Hill, Will Martin, Brooklynn Proulx, Marty Antonini, Tom Carey, Graham Beckel, Steve Eichler, David Harbour, Mary Liboiron, Roberta Maxwell, Mary McBride, Steven Cree Molison, Hannah Stewart

»Er brachte mehr in die Rolle des Ennis ein, als wir uns hatten vorstellen können – einen Lebenshunger, ein Verlangen nach Liebe und Wahrheit und eine Verletzlichkeit, wegen der ihn jeder, der ihn kannte, liebte. Sein Tod bricht einem das Herz.«

ANG LEE, Regisseur von BROKEBACK MOUNTAIN

Scheinbare Wild-West-Idylle:
Jake Gyllenhaal, Heath Ledger

»Was man nicht ändern kann, muss man aushalten.«
HEATH LEDGER als Ennis Del Mar

»Die Herausforderung bestand darin, seine Stille zu erfassen. Ich bin irgendwie hektisch und voller Energie. Ich dachte, ich müsste lernen, mich zu zügeln. Beim Jagen in der Wildnis wurde das Stillhalten fast zu einer angeborenen Eigenschaft.«

HEATH LEDGER

Ennis Del Mar: »Ich meine, wir können uns treffen, ab und zu mal, ganz weit weg, mitten im Nirgendwo, aber ...«
Jack Twist: »Ab und zu mal. Alle verdammten vier Jahre?«
Ennis Del Mar: »Tja, wenn man es nicht ändern kann, Jack, dann muss man wohl damit leben.«
Jack Twist: »Wie lange denn?«
Ennis Del Mar: »So lange wie wir können. Und wir können uns an nichts festhalten.«

BROKEBACK MOUNTAIN

»Meine größte Angst war nicht, dass ich Jake küssen musste. Sondern das perfekte Drehbuch und der perfekte Regisseur. Ich hatte Angst – ich wollte nicht derjenige sein, der es vermasselt.«

HEATH LEDGER

Jack Twist: »Und, nächsten Sommer wieder?«
Ennis Del Mar: »Ich glaub' nicht. Wie gesagt, Alma und ich, wir heiraten im November,
also ... versuch ich was auf 'ner Ranch zu kriegen, denk ich.«
BROKEBACK MOUNTAIN

»Solange ich ihn kannte, litt er unter Anfällen von Schlaflosigkeit. Er hatte zu viel Energie. Er dachte und dachte nach, dachte immer nach.«
MICHELLE WILLIAMS

Die Schauspieler Heath Ledger (Ennis Del Mar) und Michelle Williams (Alma Beers Del Mar) lernten sich auch außerhalb des Filmsets kennen und lieben. Beide verlobten sich; am 28. Oktober 2005 kam ihre Tochter Matilda Rose Ledger zur Welt, deren Patenonkel Jake Gyllenhaal ist.

WYO
9 218

»Ang Lee hat für uns eine einsame Umgebung erschaffen, so dass sie mit in unsere Darbietung einfloss.«
HEATH LEDGER

»Um diese Geschichte erzählen zu können, musste ich als Mensch und Schauspieler reifen.« HEATH LEDGER

»Ang hat ein ausgezeichnetes Verständnis für die Intimität und das innere Wesen des Filmemachens. Die Aufmerksamkeit, die er in der Vorproduktion auf Details richtet, ist mikroskopisch ... wie man läuft, spricht. Dann geht man, verdaut das Ganze und spuckt eine ganz eigene Figur aus. Dann taucht man am Set auf und Ang sagt den ganzen Dreh über kaum ein Wort.« HEATH LEDGER

»Er erweckt den Film zum Leben, indem er sich so tief in seine Figur hineinversetzt, dass man sich fragt, ob er es schaffen wird, zurückzukommen.«
LOS ANGELES TIMES

»Ich wollte, dass seine Sprache seine Unfähigkeit, Liebe auszudrücken und geliebt zu werden, darstellt. Sein Mund wurde eine geballte Faust, weil seine einzige Ausdrucksform Gewalt ist.«
HEATH LEDGER

»Mr. Ledger und Mr. Gyllenhaal machen diese qualvolle Liebesgeschichte physisch greifbar. Mr. Ledger verschwindet auf geheimnisvolle und magische Weise in der Haut seiner hageren, sehnigen Figur. Es ist eine großartige Darbietung, so gut wie die besten von Marlon Brando und Sean Penn.« STEPHEN HOLDEN, Filmkritiker

»Heath und ich haben uns genug vertraut, um Risiken einzugehen. Es war wundervoll, mit ihm eine Intimität aufzubauen. Er sorgte dafür, dass ich mich wohl fühle. Er sorgte dafür, dass ich präsent sein wollte – und das ist das Beste, was man sich von jemandem, mit dem man spielt, wünschen kann.«
JAKE GYLLENHAAL

»Mit Jake zu arbeiten war großartig, weil er ein sehr mutiger und talentierter Schauspieler ist.« HEATH LEDGER

»Wir alle haben Zeit mit Ang Lee verbracht und über die Geschichten unserer Charaktere gesprochen und geprobt. Sein Augenmerk fürs Detail ist mikroskopisch. Ihm entgeht nichts. Er ist ein wunderbarer Filmemacher, der immer genau zu wissen scheint, was er will. Er macht sich eine Geschichte zu Eigen, die er mit Leichtigkeit erzählt.«
HEATH LEDGER

»Ich fühle mich sehr glücklich, Heath im Film zu haben. Er ist ein Naturtalent. Er ist koordiniert, er ist sehr engagiert und er ist immer gut vorbereitet. Er steuert akribisch genau auf ein Ziel zu und glaubt fest an das, was er tut. Wir haben darüber gesprochen, dass Ennis nicht viel redet. Tief drin hat er große Angst wegen eines Kindheitstraumas und wegen seiner erwachenden Sexualität, die er in seinem Umfeld nicht ausleben kann. Ennis muss sie durch sein Auftreten und manchmal auch durch Gewalt unterdrücken. Er kann sehr gewalttätig werden, weil er solche Angst hat. Er ist also im Inneren ein ängstliches Kind, das nach außen den coolen Westerntypen spielt. Heath musste nicht nur seinen eigenen Charakter und den des Western stemmen, sondern auch den ganzen Film tragen – und er hat stark gespielt, ohne es zu übertreiben.« ANG LEE

Heath Ledger sagte für die Rolle des Ennis Del Mar zu, ohne vorher jemals den Regisseur getroffen oder mit ihm gesprochen zu haben: »Ich hatte Vertrauen, weil die Geschichte bei Ang Lee in guten Händen war. Ich liebte das Drehbuch, weil es eine reife und starke, eine so reine und schöne Liebesgeschichte war. Ich hatte zuvor noch nie eine richtige Love Story gedreht und ich bin auch der Meinung, dass in den Geschichten zwischen Jungs und Mädchen nicht mehr viel Geheimnisvolles übrig ist. Es wurde alles schon erzählt und dargestellt.«

Heath Ledger feiert mit Jake Gyllenhaal auf dem Toronto Film Festival im September 2005 die Vorstellung von BROKEBACK MOUNTAIN.

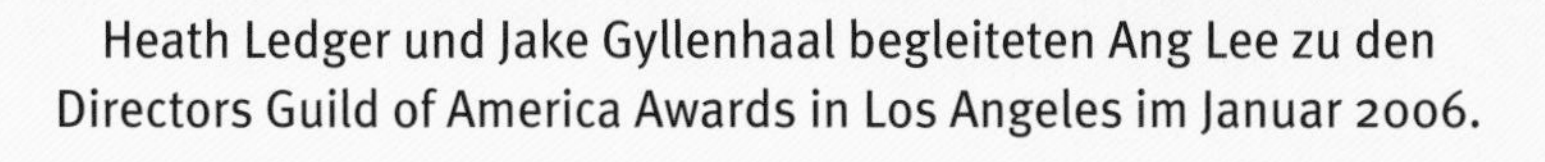
Heath Ledger und Jake Gyllenhaal begleiteten Ang Lee zu den Directors Guild of America Awards in Los Angeles im Januar 2006.

Mit Michelle auf der New Yorker Premiere von BROKEBACK MOUNTAIN im Dezember 2005.

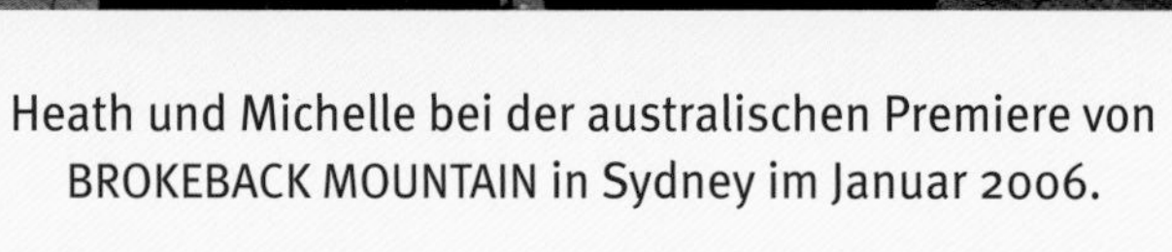

Heath und Michelle bei der australischen Premiere von BROKEBACK MOUNTAIN in Sydney im Januar 2006.

Fotografen bespritzten das Paar mit Wasserpistolen, um gegen eine angebliche Spuckattacke auf einen ihrer Kollegen zu protestieren.

Heath und Michelle im März 2006 auf einem Spaziergang mit Matilda in der Nähe ihres Hauses in New York.

Heath und Michelle im Jahr 2006 beim VANITY FAIR-Oscar-Empfang.

Casanova

Der größte Herzensbrecher aller Zeiten kehrt immer wieder auf die Leinwand zurück, die Geschichte des berühmten italienischen Liebhabers Casanova (1725–1798), der etwa 120 bis 140 Frauen verführt haben soll, ist oft verfilmt worden: mal als Lebensgeschichte, mal als moderne Parodie, mal als Sexfilm, mal als Gesellschaftsporträt.

So recht kann es der kleine Giacomo Casanova nicht verstehen, als ihn seine über alles geliebte Mutter beiseite nimmt und ihm erzählt, dass sie ihn allein zurücklassen muss. Sie könne es nicht ändern, es liege in ihrem Blut. Aber sie verspricht auch, dass sie zurückkehren wird ...

Jahre später sucht der mittlerweile zum stattlichen Mann gereifte Casanova (Heath Ledger) im Venedig des Jahres 1753 immer noch in jeder Frau nach seiner Mutter und ihrer Schönheit, deren Verlust er nie verwunden hat. So intensiv gestaltet sich die aussichtslose Suche, dass sein unstillbarer Hunger nach Liebe und seine einmaligen Verführungskünste mehr sind als bloßes Tagesgespräch: Casanova ist längst eine lebende Legende, dessen amouröse Abenteuer auf der Straße von Puppenspielern nachgespielt werden. Lasse Hallström nimmt in seinem Film die Figur und dichtet ihr ein neues Leben an: Aus dem Frauenhelden wird ein Frauenversteher.

Casanova verliert sich in zahllosen Liebesabenteuern, bis er eines Tages auf die emanzipierte und selbstbewusste Schriftstellerin Francesca Bruni (Sienna Miller) trifft. Sie scheint gegen Giacomos Charme immun zu sein und liefert ihm eine völlig neue Erfahrung: Er muss den Unterschied erkennen zwischen dem Reiz einer flüchtigen Affäre und der Kraft einer wahren Liebe.

Der »Meister der Eroberung« ist gefordert, muss erstmals um die Gunst einer Frau werben. Regisseur Lasse Hallström hat sich auf moderne und ironisch-humorvolle Weise dem unsterblichen Mythos des Giacomo Casanova genähert und vor der malerischen Kulisse des Venedig des 18. Jahrhunderts ein Feuerwerk von Verwechslungen und Intrigen geschaffen.

Casanova, Komödie, USA 2005, Regie: Lasse Hallström, Buch: Jeffrey Hatcher, Michael Cristofer, Kimberly Simi, Kamera: Oliver Stapleton, Autor: Kimberly Simi, Michael Cristofer. Musik: Alexandre Desplat, Produzenten: Leslie Holleran, Mark Gordon und Betsy Beers. Mit: Heath Ledger, Sienna Miller, Jeremy Irons, Oliver Platt, Lena Olin, Omid Djalili, Stephen Greif, Ken Stott, Helen McCrory, Leigh Lawson, Tim McInnerny, Charlie Cox, Natalie Dormer, Phil Davies, Paddy Ward, Ben Moor, Ben Moore, Adelmo Togliani, Francis Pardeilhan, Lauren Cohan

»Ich habe das Drehbuch geliebt und ich habe Lasse schon immer als Regisseur geschätzt. Die Gelegenheit, mit ihm arbeiten zu können, wollte ich mir nicht entgehen lassen. Ich fand, diesen Casanova zu spielen, würde unglaublich viel Spaß bereiten. Und natürlich hatte ich auch nichts dagegen, einige Zeit in Venedig zu verbringen.«

HEATH LEDGER

»Dies ist neues Terrain für mich. Bei CASANOVA handelt es sich um die vermutlich reinste Komödie, die ich je im Leben gemacht habe. Das endgültige Drehbuch war üppig, komisch und sehr clever. Ich habe mich mit Begeisterung der Herausforderung gestellt, einen Ton zu treffen, an dem ich mich noch nie versucht hatte, eine Mischung zu erzielen aus klassischer Komödie und dramatischen und romantischen Elementen. Schlussendlich hatten wir ein wirklich großartiges Drehbuch, eine exzellente Besetzung – und mit Heath Ledger einen wirklich hinreißenden Casanova.« LASSE HALLSTRÖM

»Irgendwie wurde mir eine Karriere aufgedrückt. Sie wurde von einem Studio erschaffen, das glaubte, man könnte mich auf Postern abbilden und aus mir ein Produkt machen ... Ich war mir noch nicht ganz darüber im Klaren, wie man Schauspieler ist, und plötzlich erhielt ich all diese Hauptrollen.«

HEATH LEDGER

»Lasse ist bekannt für seinen unfehlbaren Blick auf das Wesen des Menschen, für seine außerordentliche Beobachtungsgabe, was die kleinen Momente im Leben anbetrifft. Jetzt wagt er sich an eine größere Geschichte voller Romantik, Verspieltheit und Humor – aber, eben mit jener ihm eigenen Hingabe zum Menschen.«

Drehbuchautorin KIMBERLY SIMI:

Lupo: »Wir haben uns schon Sorgen gemacht.«
Casanova: »Und das mit Recht. Wir werden heiraten.«
Lupo: »Dann gratulier ich. Und wen?«
Casanova: »Das wissen wir noch nicht.«
CASANOVA

»Ich mache das nur, weil es mir Spaß macht. An dem Tag, an dem ich keinen Spaß mehr habe, werde ich aufhören.«
HEATH LEDGER

»Heath kam in den Raum und er war Casanova. Es war eines dieser kleinen Wunder, die man beim Film ab und zu erlebt. Er war witzig, charmant und sehr, sehr verführerisch. Und zugleich war er elegant und ungemein verletzlich. Wir hatten vielleicht einen Mann im Kopf, der etwas älter sein sollte, aber ich finde, dass es doch viel romantischer und spaßiger ist, jemanden gefunden zu haben, der so unfassbar sexy, voller teuflischem Witz und unterhaltsam ist, wie es Heath sein kann. Auf eine sehr feine Weise deutet Heath eher Casanovas sinnliche als seine sexuelle Seite an.« LASSE HALLSTRÖM

»Glaubt nicht, was die Leute sich erzählen.
Ich erobere nicht, ich unterwerfe mich.
Ich habe nie als Liebhaber nach Ruhm gestrebt.«
CASANOVA

Der Drehort Venedig war die bezaubernde Kulisse für CASANOVA mit Heath Ledger als Frauenverführer. Der legendäre Liebhaber Casanova muss endlich heiraten, will er der Verbannung aus Venedig entgehen. Eine Verlobte ist schnell gefunden, doch fasziniert ist er von einer anderen: Die widerspenstige Francesca (Sienna Miller) wagt es tatsächlich, Casanova abblitzen zu lassen. Der Frauenheld lässt sich die verrücktesten Tricks einfallen, um ihr näher zu kommen.

»Glaubt nicht, was die Leute sich erzählen.
Ich erobere nicht, ich unterwerfe mich.
Ich habe nie als Liebhaber nach Ruhm gestrebt.«
CASANOVA

»Immer wenn ich für eine Rolle gecastet werde, denke ich, dass man mich nicht hätte nehmen sollen. Ich habe sie wieder zum Narren gehalten.« HEATH LEDGER

»Die Arbeit in Venedig war wie eine viermonatige Stadtführung. Es war, als würde man einen Film in einem Museum drehen.«
HEATH LEDGER

Francesca Bruni (Sienna Miller) und Giacomo Casanova (Heath Ledger). Als CASANOVA beeindruckte Heath Ledger Englands It-Girl Sienna Miller und zeigte den schönen Frauen, dass er nicht nur als Ritter, sondern auch als Verführungskünstler leidenschaftlich glänzen kann.

»Liebe besteht zu drei Vierteln aus Neugier.« Das Zitat stammt von Giacomo Casanova, dem legendären Schriftsteller, Abenteurer und Frauenheld, der nach diesem Prinzip im 18. Jahrhundert auf Liebesjagd ging. Auf dem Foto: Heath Ledger und Francesca Bruni.

Bei CASANOVA hatte Heath Ledger nur das eine im Sinn: Amore, Amore, die Fans dagegen wollten: Autogramme, Autogramme.

Imposant und pompös – wie man es vom schwedischen CHOCOLAT-Regisseur Lasse Hallström nicht anders erwartet –, inszenierte er CASANOVA als kurzweilige und charmante Liebesposse. Das Besondere an dieser mittlerweile achten Kino-Adaption: Der Dreh fand ausschließlich in Venedig statt. »Pferde und Kutschen mussten auf Booten in die Stadt transportieren werden«, erzählte Hallström. Hier Heath Ledger auf dem gigantischen roten Teppich bei der Weltpremiere auf den 62. Internationalen Filmfestspielen von Venedig im Jahr 2005.

Candy

Der australische Theaterregisseur Neil Armfield erzählt die Geschichte einer tiefen, romantischen und leidenschaftlichen Liebe und einer Sucht, die sie fast zerstört.

Der Film basiert auf dem gleichnamigen Bestsellerroman von Luke Davies und zeigt in drei Abschnitten die Reise der Liebenden Candy und Dan, vom »Himmel«, hinab in die Realität, der »Erde«, bis in die erbarmungslose Tiefe der »Hölle«.

Dan (Heath Ledger) und Candy (Abbie Cornish) beeindrucken als junges Paar, das sich in seiner Leidenschaft und seiner Drogensucht verliert und beinahe davon zerstört wird. Abbie Cornish gelingt es ohne falsche Sentimentalität, das Porträt einer jungen Künstlerin zu zeichnen, deren Lust auf das berauschende Leben in einer Traumwelt sie bis an den äußersten Rand der Drogensucht bringt.

Heath Ledger verleiht Dan einen unschuldigen Optimismus, der aber zu schwach ist, um den Weg aus der Abhängigkeit heraus zu finden. »Candy« beschreibt zwar auch die üblichen Probleme der Sucht, wie Beschaffungskriminalität, Prostitution und Probleme mit der Familie, zentral bleibt jedoch die Liebe von Dan und Candy und der langsame Verfall des anfänglichen Glücks.

So kennt das Paar bald nur noch ein Ziel: an den nächsten Schuss kommen. Da ist es Dan fast schon egal, dass sich Candy prostituiert, um an Geld zu kommen. Die beiden heiraten zwar und versuchen, den Drogen abzuschwören, werden aber immer wieder rückfällig. Erst als Candy den Verstand zu verlieren droht, will sie in der Nervenheilanstalt den endgültigen Entzug ...

Für Regisseur Neil Armfield ist »Candy« keine gewöhnliche Liebesgeschichte und keine gewöhnliche Tragödie: »Sie ist eine Parabel auf die Liebe, eine Liebe, die Gefahr läuft, sich selbst zu verzehren.« Die »Zeit« schrieb im Februar 2006: »Heath Ledger liefert in der Rolle des zunehmend blasser werdenden Junkies keine große Performance, aber eine selbstlose – wie jemand, der sich neu orientieren und ein bisschen ausprobieren möchte.«

Candy, Drama, Australien 2005, Regie: Neil Armfield, Buch: Luke Davies, Neil Armfield, Kamera: Garry Phillips, Autor: Luke Davies, Musik: Paul Charlier. Mit: Abbie Cornish, Heath Ledger, Geoffrey Rush, Noni Hazlehurst, Tom Budge, Roberto Meza Mont, Holly Austin, Craig Moraghan, Noel Herriman, Tim McKenzie, Tara Morice, Paul Blackwell, Nathaniel Dean, David Argue, Jason Chan, Damon Herriman, Sandy Winton

»Als ich Candy kennenlernte,
waren das Tage voller ›Saft‹,
damals war alles üppig.«
CANDY

»Ich war nie drogenabhängig, aber mich fasziniert diese lodernde Energie, die von Süchtigen ausgeht. Außerdem interessierte mich diese Ruhe, die eine Sucht umgibt. Ein absolutes Tabuthema in unserer Gesellschaft. Für mich waren Candys Eltern der Schlüssel zur Geschichte. Es war mir wichtig, Mr. und Mrs. Wyatt als gute Menschen zu zeigen, die aber trotzdem zu dem Schmerz und dem Durcheinander beigetragen haben, das ihre Tochter offenbar unterdrückt hat. Diese Dynamik wollte ich in dem Film haben, ohne sie gleichzeitig zu vereinfachen und ohne zu unterstellen, dass diese Art von Eltern diese Art von Kind erzeugt. Mir ging es darum, die Kraft ihrer Liebe zu vermitteln. Wenn man die schauspielerische Leistung von Tony Martin und Noni Hazlehurst sieht, bekommt man ein starkes Gefühl für ihre Elternliebe, wie diese verzerrt ist von ihrem engstirnigen Mittelschichtsdenken und dem Bestreben, immer das ›Richtige‹ oder besser gesagt das ›Angebrachte‹ zu tun und ihre Schwierigkeit zu kommunizieren.« NEIL ARMFIELD

»Schon am Anfang des Films steckt Dan knietief in der Abhängigkeit. Er ist ein junger Gelegenheitsdichter und ein Junkie, der in den Tag hinein lebt. Dan sieht die Heroinsucht aus dem Blickwinkel des Poeten und Romantikers – durch das Heroin kann er seine Kreativität stärker ausleben. Candy möchte in seine Welt eintauchen, seine Erfahrungen teilen, was sie am Anfang noch enger zusammenschweißt. Doch natürlich zerstört das Heroin ihre Beziehung. Sie erleben einen Trip zur Hölle und zurück. CANDY ist auch eine Geschichte über ihre Wiedergeburt. Die Erwartung einen Film zu machen, bei dem ich meinen australischen Akzent nicht unterdrücken musste – was ich acht Jahre lang getan habe –, war sehr verlockend für mich. Er gab mir die Freiheit, in meinem eigenen Akzent zu sprechen und zu atmen. Ich konnte viel freier improvisieren. Das und das Vertrauen, das ich in den Film hatte, die Geschichte, die er erzählt – und natürlich meine Neugierde, was Regisseur Neil Armfield daraus machen würde, hat mich zurück nach Australien gelockt.«

HEATH LEDGER

»Es heißt, von zehn Jahren, die man Junkie ist, verbringt man sieben mit Warten. Einerseits war es gut, so viel Zeit zum Nachdenken zu haben. Andererseits wurdest du die Anspannung nicht mehr los.« CANDY

»Die Zukunft lag schimmernd vor uns, die Gegenwart war richtig, richtig gut.« CANDY

»Ich wollte Candys Leben nicht zerstören. Ich wollte meins besser machen.«
CANDY

Heath Ledger bei der Pressekonferenz für CANDY auf der Berlinale im Februar 2006.

»Es sprach vieles für uns.
Wir hatten den geheimen Klebstoff gefunden,
der alles zusammenhielt.«
CANDY

»An einem perfekten Ort,
zu dem der Lärm nicht vordringen konnte,
unsere Welt war absolut vollkommen.«
CANDY

I'M NOT THERE

Musiker, Geschichtenerzähler, Lichtgestalt, Diva, Visionär – Bob Dylan ist all das in einer Person und noch viel mehr. In sechs verschiedenen Episoden mit sechs unterschiedlichen Schauspielern versucht Todd Haynes (»Dem Himmel so fern«) eine Annäherung an die Persönlichkeit der Folk-Legende Bob Dylan.

Als 11-jähriger Singer-Songwriter (Marcus Carl Franklin) reist er Ende der 50er Jahre durchs Land wie einst die schwarzen Blues-Legenden. Mit 19 ist er ein scharfzüngiger Poet (Ben Whishaw), wenig später ein erfolgreicher Folk-Troubadour (Christian Bale) im pulsierenden Greenwich Village der frühen 1960er. Kaum als Stimme einer neuen Generation gefeiert, erfindet er sich als Bandleader (Cate Blanchett) neu, und stößt seine Fans mit elektrifiziertem Rock vor den Kopf. Er reüssiert als Schauspieler (Heath Ledger), scheitert als Familienvater, gerät als christlicher Prediger in Vergessenheit – und taucht wieder auf im Hinterland von Missouri: als in die Jahre gekommener Outlaw (Richard Gere), der sich noch einmal auf die Reise macht ...

Der New Yorker Filmemacher hat fünf Jahre an der experimentellen Biografie gearbeitet, die sich aus Originalmaterial und Pseudo-Dokumentationen, aus Schwarz-Weiß-, Video- und Farbaufnahmen zusammensetzt und mit Dylon-Songs unterlegt wurde.

»Gestern, Heute, und Morgen in ein und demselben Raum – da gibt es kaum etwas, das man sich nicht vorstellen könnte«, sagte Bob Dylan einmal. Regisseur Haynes nahm ihn beim Wort und hat für sein bizarres Filmporträt sogar den Segen des Meisters höchstpersönlich bekommen.

Dabei steht Dylan eigentlich mit fiktiven Darstellungen seiner Person auf Kriegsfuß. Im Jahr zuvor wehrte er sich – erfolglos – gegen den Film »Factory Girl«, weil er sich darin für den Selbstmord von Andy Warhols Muse Edie Sedgwick verantwortlich gemacht fühlt. »I'm Not There« ist eine überaus spannende, vielschichtige Collage, die das übliche Format von konventionellen Biopics wie »Walk The Line« oder »Ray« weit hinter sich lässt.

I'm Not There, Drama, USA, Deutschland 2007, Regie: Todd Haynes, Buch: Todd Haynes, Oren Moverman, Kamera: Edward Lachman, Musik: Randall Poster, Jim Dunbar. Mit: Christian Bale, Cate Blanchett, Marcus Carl Franklin, Richard Gere, Heath Ledger, Ben Whishaw, Julianne Moore, Michelle Williams, Charlotte Gainsbourg, David Cross, Bruce Greenwood, Mark Camacho, Yolonda Ross

»Ich denke, das ist einer dieser Filme, die man akzeptieren und auf die man sich einlassen muss, statt zu versuchen, sie herauszufordern und zu enträtseln. Bob Dylan trotzt jeder Beschreibung und ich denke, Todd hatte das Ziel, ihn zu repräsentieren. Er hat nicht versucht, ihn zusammenzufassen oder zu definieren.« HEATH LEDGER

Heath Ledger trägt zu I'M NOT THERE eine Liebesgeschichte bei. Als Schauspieler Robbie Clark geht er durch eine romantische Erfahrung mit der Malerin Claire, die mit der Kamera bis hin zur Scheidung verfolgt wird. Rechts: Heath Ledger und Charlotte Gainsbourg.

»Alle Episoden, die immer wieder überblendet werden, wurzeln in den Sixties, dem Jahrzehnt des Aufbruchs. Der großartige Heath Ledger ist noch einmal zu sehen, als Ehemann und Familienvater, der sich in Greenwich Village in die betörend schöne Malerin Claire (Charlotte Gainsbourg) verliebt. Aber die Ehe geht Anfang der Siebziger zu Bruch, da ist Amerika durch den Vietnamkrieg tief gespalten, die Illusionen sind verflogen.« JOHANNES VON DER GATHEN, DPA

»Die offene Struktur des Films, seine lose Dramaturgie mit ihren permanenten Rück-, Seit- und Vorausblenden dürfte bei Novizen indes für einige Konfusion sorgen. I'M NOT THERE – der Titel sagt es schon. Er ist nicht da, nicht greifbar. Todd Haynes hat jene Figur, die seit fünfzig Jahren als Dylan fungiert, vor das Spiegelglas seiner Imagination gestellt. Dann hat er den Spiegel zerschlagen. Sein Film versucht, das zerbrochene Spiegelbild wieder zusammenzusetzen.« FRANK JUNGHÄNEL, BERLINER ZEITUNG

»Es geht um Bob Dylan, der sagt ›Ich bin nicht da‹. Und doch ist er überall, in Anspielungen, Zitaten, Vexierspiegeln. Todd Haynes' Meditation über einen der größten Künstler unserer Zeit ist: Abgrund, Albtraum, Labyrinth, Geisterbahn, Rausch. I'M NOT THERE ist ein Meisterwerk aus einem einfachen Grund: Auch wer sich in Dylans Kosmos wie ein Fremder fühlt, wird sich dem Sog nicht entziehen können. Ein Film wie eine Wanderdüne. Man sinkt ein.« RÜDIGER SCHAPER, DER TAGESSPIEGEL

»Mr. Ledger besitzt die ungewöhnliche Fähigkeit, Leichtigkeit und Schwere zu verbinden, eine emotionale Gewandtheit, die in Todd Haynes' I'M NOT THERE gänzlich zutage tritt.«

A.O. SCOTT, NEW YORK TIMES

»Hier geht's nicht mehr um mich, hier geht's nur noch um ihn.«

I'M NOT THERE

The Dark Knight

Amoralische Comicverfilmung von Christopher Nolan und Fortsetzung seines Filmes »Batman Begins« von 2005: Erneut stellt sich die Comicfigur von 1939, die im Verlauf ihrer Kinokarriere sowohl Höhen wie auch Tiefen durchlaufen hat, den Traumata der Gegenwart.

Ein düsterer Film, in dem nicht Batman, sondern der Joker der neue dunkle Ritter ist. Regisseur Nolan zeigt die erschreckende Vision einer Metropole, in der das Verbrechen außer Kontrolle geraten ist: Unterstützt von Lieutenant Jim Gordon (Gary Oldman) und Staatsanwalt Harvey Dent (Aaron Eckhart) setzt Batman (Christian Bale) sein Vorhaben fort, das organisierte Verbrechen in Gotham endgültig zu zerschlagen.

Doch das schlagkräftige Dreiergespann sieht sich bald einem genialen, immer mächtiger werdenden Kriminellen gegenübergestellt, der als Joker (Heath Ledger) bekannt ist: Er stürzt Gotham in ein anarchisches Chaos und zwingt den Dunklen Ritter immer näher an die Grenze zwischen Gerechtigkeit und Rache. Joker ist ein Nihilist, dessen einziges Ziel es ist, »die Welt brennen zu sehen«. Keine Ideologie, keine Verblendung, kein Terrorismus – wie in keiner anderen Comic-Verfilmung vorher geht es um die Ambivalenz der Batman-Figur: Der will zwar das Verbrechen bekämpfen und das Recht in seiner Stadt Gotham City wiederherstellen, doch dafür muss er selbst das Gesetz brechen – und das Gewaltmonopol des Staates aushebeln.

»Batman Begins« erzählte von der Überwindung der Angst, »The Dark Knight« handelt davon, wie sie sich überall einnistet und die Moral aushöhlt: »Man stirbt als Held oder man lebt so lange, bis man selbst der Böse wird«, sagt Commissioner Gordon.

Heath Ledger steckt in der Rolle des Jokers sogar Hannibal Lecter in die Tasche. Er ist wirklich ein ultimativer Bösewicht, der kein Geld und auch nicht die Macht an sich reißen will, er will nur die pure Zerstörung. Das völlige Fehlen von Rationalität macht die Figur so unheimlich. Und Heath Ledger spielt den Joker einfach sensationell.

The Dark Knight, Actionabenteuer, USA 2008, Regie: Christopher Nolan, Buch: Christopher Nolan, Jonathan Nolan, David S. Goyer, Kamera: Wally Pfister, Musik: Hans Zimmer, James Newton Howard. Mit: Christian Bale, Heath Ledger, Aaron Eckhart, Michael Caine, Maggie Gyllenhaal, Gary Oldman, Morgan Freeman, Monique Curnen, Ron Dean, Cillian Murphy, Chin Han, Nestor Carbonell, Eric Roberts, Ritchie Coster, Anthony Michael Hall

»Ich saß ungefähr einen Monat in einem Hotelzimmer in London herum, habe mich weggeschlossen, machte mir Notizen und experimentierte mit Stimmen – es war wichtig, eine Stimme und ein Lachen zu finden, die ein wenig ironisch waren. Ich kam am Ende eher im Bereich des Psychopathen an jemand, der wegen seiner Taten nur wenige oder gar keine Gewissensbisse mehr hat.« HEATH LEDGER

»Jeder am Set hat von Anfang an begriffen, dass Heath seine Rolle sehr außergewöhnlich spielt. Die meisten Mitarbeiter hat jeweils eine regelrechte Euphorie gepackt, als Heath aufs Set kam. Zwar ist seine Figur Furcht erregend, aber er hatte so viel Spaß daran, sie zum Leben zu erwecken, dass es einfach aufregend war, ihm zuzuschauen. Er hat sich allerdings schon das eine oder andere Mal die Freiheit herausgenommen, seine Kollegen zu erschrecken.«

Regisseur CHRISTOPHER NOLAN über die Reaktion der Crew auf Heath Ledger

»Ledger hat seinen Joker mit der Method-Acting-Aura eines klinisch Schizophrenen zu einem wahren Monster gemacht. Sein Lächeln ist keine Maske mehr, sondern eine Entstellung, sein Witz kein grausamer Schabernack, sondern ein anarchischer Sadismus. Wenn er schließlich am Krankenbett seines Jägers Harvey Dent sitzt und ganz reflektiert erklärt, dass sein Wahnsinn keinerlei Methode hat, dann bestätigt er nur das beklemmende Gefühl, das er beim Publikum über zwei Stunden aufgebaut hat. Mit THE DARK KNIGHT ist Batman ganz sicher keine Figur fürs Kinderzimmer mehr.«

ADRIAN KREYE, SÜDDEUTSCHE ZEITUNG

»Einen Bösewicht wie Heath Ledgers hat man so noch nicht gesehen (dabei war schon der Joker von Jack Nicholson nicht übel), aber schon das Wort Bösewicht trifft es eigentlich nicht. Denn Ledgers Joker ist so radikal entgrenzt, so asozial, dass man ihm nicht mehr folgen kann, schon gar nicht in seine Abgründe – es gibt überhaupt keine empathische Anschlussmöglichkeit für den Zuschauer.« ANKE WESTPHAL, BERLINER ZEITUNG

»Der Regisseur hat mit der Übersichtlichkeit von Gut und Böse aufgeräumt. THE DARK KNIGHT steht, mehr noch als sein Vorgänger, unter dem Eindruck von 9/11. Auch wenn das inzwischen eine Plattitüde ist, trifft sie bei keinem Blockbuster der zurückliegenden Jahre so stark zu wie bei Nolans Film. THE DARK KNIGHT bildet eine vorsichtig formulierte gesellschaftliche Utopie im posttraumatischen Stadium ab. Mit dem Joker als selbst ernanntem Agenten des Chaos bricht das Prinzip Anarchie in dieses fragile Gefüge ein, und es ist nicht zuletzt der pointierten Darstellung des im Januar unter mysteriösen Umständen verstorbenen Heath Ledger, die den Film davor bewahrt, ins Lächerliche zu kippen.«

ANDREAS BUSCHE, DER FREITAG

»Die Präsenz des Heath Ledger überstrahlt einfach alles. Wie eine Unwucht bringt Ledgers Joker den nach herkömmlichem Muster gestrickten Handlungsverlauf erst zum Schwanken und dann nachhaltig aus dem Gleichgewicht. Für die meisten Filme wäre eine solche Performance unerträglich, aber aus THE DARK KNIGHT wird erst durch Ledgers Auftritt ein interessanter Film... Gerade in der betonten Nachlässigkeit, Hässlichkeit und psychologischen Leere dieser Erscheinung liegt etwas ungemein Bedrohliches. Dieser Joker ist kein bloßer Antiheld. Die Grandezza, den Glamour der bösen Taten hat er vollständig abgelegt.«

BARBARA SCHWEIZERHOF, DIE TAGESZEITUNG

»Man muss lange zurückblicken, um sich an ein ähnliches Phänomen kollektiver Filmbegeisterung zu erinnern. Vielleicht verlässt man das Kino nach all dem Vorschusslob doch etwas enttäuscht. Doch warten Sie ab, bis Sie zu Hause sind! Heath Ledgers Performance kann einen noch tagelang heimsuchen. Es gibt da eine bezwingende Gleichzeitigkeit von Jugend und Alter im Spiel des verstorbenen Ausnahmeschauspielers, die an den Stummfilmstar Conrad Veidt erinnert, den Somnambulen aus dem CABINETT DES DR. CALIGARI. Es ist offensichtlich, dass Regisseur Christopher Nolan den Joker auf das direkte filmhistorische Vorbild der Comic-Vorlage zurückführen wollte, Paul Lenis expressionistischen Hollywood-Stummfilm DER MANN DER LACHTE von 1928.«

DANIEL KOTHENSCHULTE, FRANKFURTER RUNDSCHAU

»Der Joker ist bisher auf jeden Fall die Rolle, die mir am meisten Spaß gemacht hat. Er ist einfach so durchgedreht – kein Mitleid, er ist ein Soziopath ... und ich genieße das wirklich durch und durch. Diese Erfahrung hat alle meine Erwartungen übertroffen.«

HEATH LEDGER

»Es gibt nicht viele Schauspieler, vor denen man sich schämt, weil man sich so oft darüber beschwert, den besten Job der Welt zu haben. Heath war einer von ihnen.«

CHRISTOPHER NOLAN, Regisseur

»Heath hat einen anarchischen Joker erschaffen, der anders ist als alle zuvor. Er hat die Rolle nach Sid Vicious gestaltet, daher kommt das punkige Wesen. Ich finde, es ist das klassische Porträt eines großartigen Bösewichts.«

CHRISTIAN BALE, Co-Star

»Es war unübersehbar, dass er fleißig war und seine Rolle sehr ernst nahm und etwas wirklich Riskantes und Unerwartetes aus ihr machte. Ich bin sehr stolz, dass ich ein Teil von THE DARK KNIGHT war und ich kann nur hoffen, dass er wusste, wie sehr er geliebt und geschätzt wurde.«

ERIC ROBERTS, Co-Star

»Ich sehe den Joker als einen psychopathischen, massenmordenden, schizophrenen Clown mit null Mitleid.«

HEATH LEDGER

Heath Ledgers tragischer Tod

22.01.2008: SCHAUSPIELER HEATH LEDGER TOT AUFGEFUNDEN
Filmfans in aller Welt sind geschockt: Völlig überraschend ist im Alter von nur 28 Jahren der australische Schauspieler Heath Ledger gestorben. Der frühe Tod des »Brokeback-Mountain«-Stars löste vor allem in USA und Australien Bestürzung aus. Eine Haushälterin und ein Masseur fanden Ledgers Leiche am Fuß eines Betts in einer Wohnung im New Yorker Stadtteil SoHo, wie die Polizei mitteilte. Man habe neben ihm verschreibungspflichtige Schlaftabletten gefunden, sagte ein Polizeisprecher. Die Beamten würden ein Fremdverschulden ausschließen, hieß es. Auch gebe es keine direkten Hinweise auf einen Selbstmord, wie etwa einen Abschiedsbrief.

24.01.2008: TRAUER UM HOLLYWOOD-SCHAUSPIELER HEATH LEDGER
Der Schauspieler und Regisseur Mel Gibson, der ebenfalls aus Australien stammt, erklärte zum Tod von Ledger: »Ich hatte so große Hoffnungen für ihn.« Es sei ein tragischer Verlust, dass er in so jungem Alter sein Leben verloren habe. Die australische Schauspielerin Nicole Kidman sagte, es sei eine »schreckliche Tragödie«, und sprach der Familie Ledgers ihr Beileid aus. Der australische Ministerpräsident Kevin Rudd sagte, das Land habe einen seiner größten Schauspieler verloren.

24.01.2008: BUSH SAGT AUFTRITT AB
Das Weiße Haus vertagte angesichts des Todesfalls einen seit langem für Mittwoch geplanten Auftritt von US-Präsident George W. Bush. Der Präsident wollte eine Werbekampagne gegen den Missbrauch von verschreibungspflichtigen Schmerzmitteln als Drogen vorstellen, wie seine Sprecherin Dana Perino erklärte. Bush wolle nicht, dass der Auftritt aufgrund der aktuellen Ereignisse als opportunistisch erscheine, sagte sie.

28.01.2008: LEICHNAM VON LEDGER NACH AUSTRALIEN GEFLOGEN
Der Leichnam des in New York verstorbenen Schauspielers Heath Ledger ist in seine australische Heimat überführt worden. Zuvor habe es für den Hollywood-Star noch eine kleine private Trauerfeier in Los Angeles gegeben, dabei hätten unter anderem seine Ex-Verlobte und »Brokeback Mountain«-Kollegin Michelle Williams sowie Ex-Freundin Naomi Watts am Samstagabend Abschied von Ledger genommen. Auch sein Vater sei bei der Trauerfeier dabei gewesen.

02.02.2008: GEDENKFEIER FÜR HEATH LEDGER IN LOS ANGELES
Freunde und Kollegen versammelten sich auf dem Sony Platz und erwiesen dem Schauspieler die letzte Ehre. Wie das »People«-Magazin berichtet, waren unter den Trauernden unter anderem Tom Cruise, Katie Holmes, Sienna Miller, Ellen DeGeneres und Regisseur Todd Haynes. Der Gottesdienst begann in der Dämmerung, der Platz wurde während dieser Zeit für die Öffentlichkeit gesperrt.

06.02.2008: TODESURSACHE GEKLÄRT
Zwei Wochen nachdem Schauspieler Heath Ledger tot in seinem New Yorker Apartment aufgefunden wurde, ist die Todesursache geklärt: Heath Ledger starb an einer Überdosis verschreibungspflichtiger Medikamente. Das ist das Ergebnis des Autopsie-Berichts, das ein Gerichtsmediziner in New York bekannt gab. Zu den sechs Medikamenten, die im Körper des Schauspielers nachgewiesen wurden, zählen starke Schmerzmittel, Schlaftabletten sowie Medikamente gegen Angstattacken, hieß es. In der Kombination seien sie tödlich gewesen. Ledgers Vater Kim erklärte, es sei zwar kein Medikament im Überfluss genommen worden, »aber wir haben heute gelernt, dass eine Kombination von ärztlich verschriebenen Medikamenten tödlich für unseren Jungen war. Heaths versehentlicher Tod ist eine Warnung

vor den versteckten Gefahren bei der Kombination von verschreibungspflichtigen Medikamenten, selbst bei niedriger Dosierung.«

09.02.2008: TRAUERFEIER FÜR HEATH LEDGER IN AUSTRALIEN

Familie und Freunde haben am Samstag in Perth Abschied genommen von dem verstorbenen australischen Schauspieler Heath Ledger. Ledgers ehemalige Verlobte, die Schauspielerin Michelle Williams, traf mit einer Polizeieskorte in Begleitung seiner Eltern und seiner Schwester vor dem Penrhos College ein. Williams kam ohne ihre zweijährige Tochter mit Ledger, Matilda. Unter den prominenten Gästen der Trauerfeier war Schauspielerin Cate Blanchett, die mit Ledger die Bob-Dylan-Biographie »I'm Not There« drehte. Blanchett habe in ihrer Trauerrede über ihre gemeinsame Zeit mit Ledger in New York und Los Angeles gesprochen, sagte die Abgeordnete Barbara Scott nach dem 75-minütigen Gottesdienst. Angehörige und Freunde stellten ein Video zusammen, in dem Auszüge aus Ledgers Filmen und Aufnahmen gemeinsam mit seiner Tochter zu sehen waren.

OBEN UND RECHTS
Eindeutige Gesten: Heath Ledger mit Urlaubsbart gemeinsam mit Michelle Williams in Los Cabos, Mexiko. Ledger war zum Medienstar wider Willen geworden, ein beliebtes Objekt für die Fotografen.

VORIGE SEITE

Eine Aufnahme vom am 22.1.2007, genau ein Jahr vor seinem Tod: Der rauchende Heath Ledger mit seiner Tochter im Kinderwagen bei einem Spaziergang in Brooklyn, New York.

Eines der letzten Fotos von Heath Ledger zeigt ihn am 19. Januar 2008 bei den Dreharbeiten zum Film »The Imaginarium Of Doctor Parnassus« in London. Hier stand er für Terry Gilliam noch vor der Kamera, drei Tage später wurde er tot in seiner New Yorker Wohnung aufgefunden.

Das Fantasy-Abenteuer handelt von Dr. Parnassus, der die Vorstellungen anderer Menschen steuern kann. Mit seiner Theatergruppe reist er durch die Lande und bietet dem Publikum den Zutritt zu einer anderen Realität, wenn sie durch einen Zauberspiegel gehen. Doch Dr. Parnassus hat einen Pakt mit dem Teufel geschlossen, und der fordert nun seinen Tribut ... Dieses Bild wurde bei den Dreharbeiten am 18. Januar 2008 aufgenommen, vier Tage vor Heath Ledgers Tod.

Heath Ledger spielte in dem Film von Terry Gilliam die Hauptrolle. Da man die von Ledger schon gedrehten Szenen nicht verlieren wollte, entschied man sich dafür, neben Ledger auch Johnny Depp, Jude Law und Collin Farell in die Rolle des Tony schlüpfen zu lassen: Die drei Stars sollen abwechselnd zu sehen sein und so den verstorbenen Ledger ehren.

Die Serie auf dieser Doppelseite dürfte zu den letzten Aufnahmen gehören, die den lebenden Heath Ledger zeigen. Wir sehen ihn am 19. Januar 2008 bei den Dreharbeiten zum Film »The Imaginarium Of Doctor Parnassus« wie er den Dreh einer Szene verläßt (im linken Bild ist schemenhaft die Kamera zu erkennen) und eine Zigarette raucht.

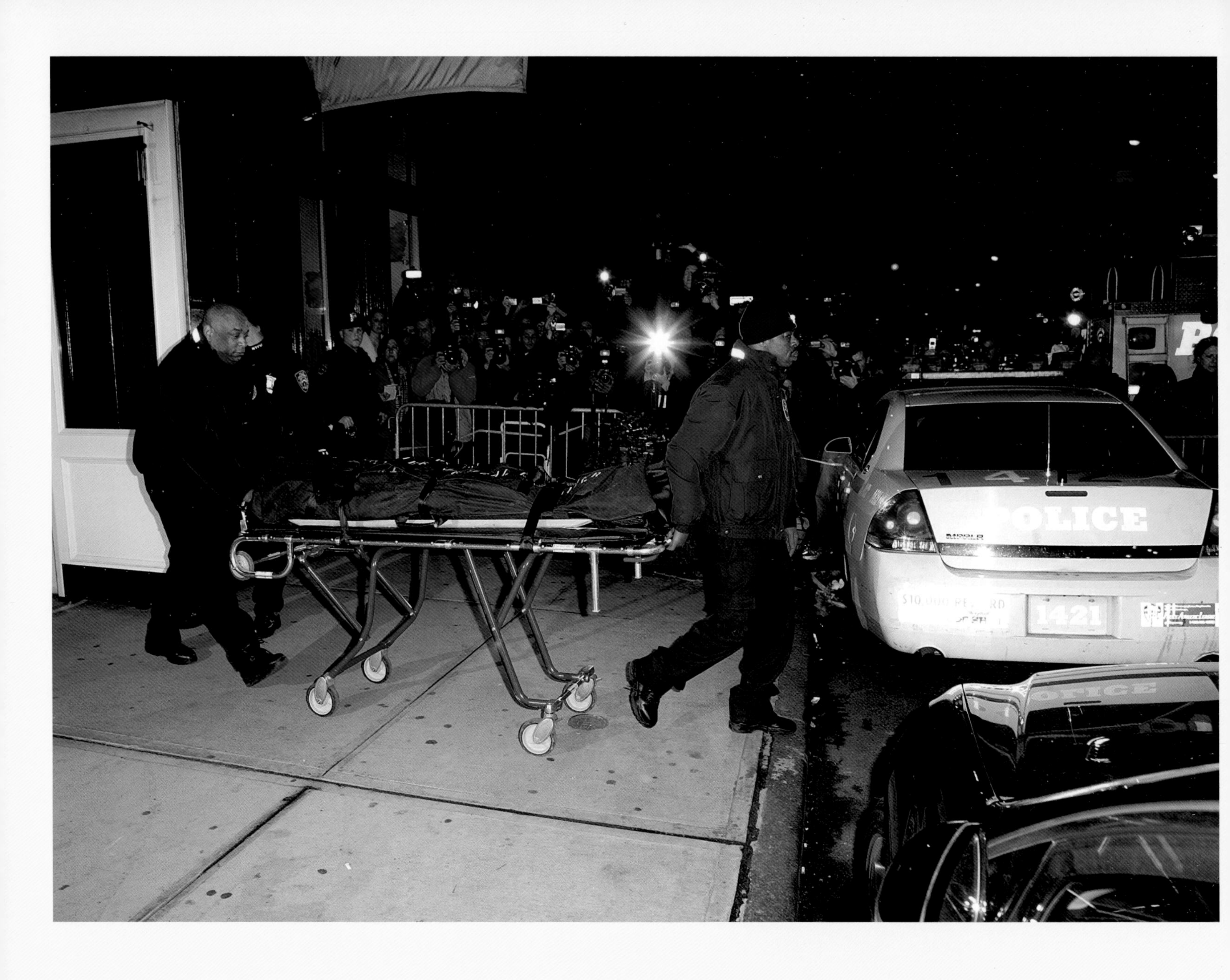

Heath Ledgers Leiche wird abtransportiert, im Hintergrund
sind die Blitzlichter der Pressefotografen zu sehen.

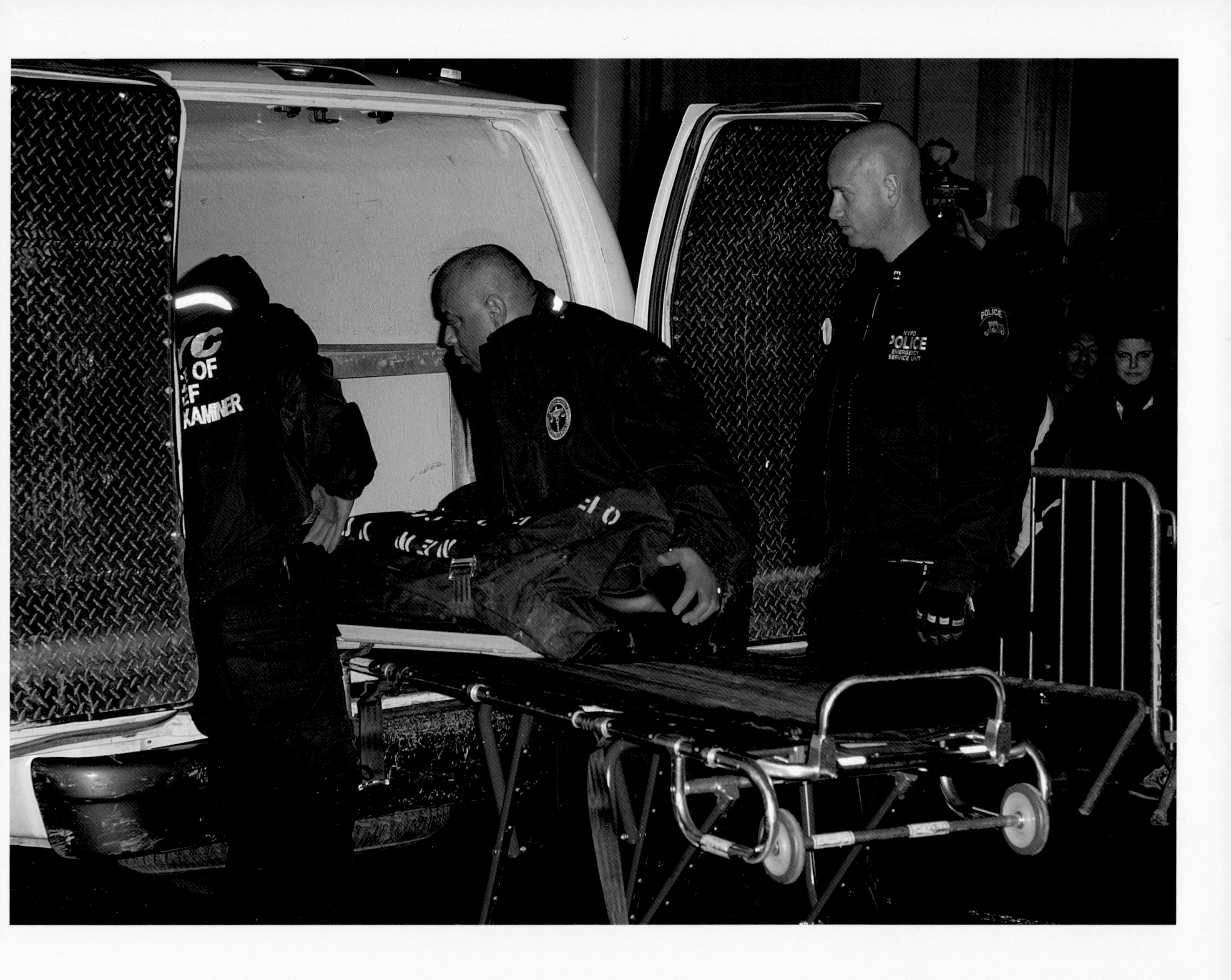

Die Presse und die Bevölkerung nimmt regen Anteil,
daher sind Absperrungen errichtet worden.

DEATH TRANSCRIPT

DATE FILED THE CITY OF NEW YORK - DEPARTMENT OF HEALTH AND MENTAL HYGIENE
NEW YORK CITY DEPARTMENT OF HEALTH AND MENTAL HYGIENE JAN-25-2008 03:18 AM

CERTIFICATE OF DEATH Certificate No. 156-08-003312

1. DECEDENT'S LEGAL NAME Heath (First Name) (Middle Name) Ledger (Last Name)

Place Of Death: 2a. New York City 2b. Borough Manhattan
2c. Type of Place 1 ☐ Hospital Inpatient 2 ☐ Emergency Dept./Outpatient 3 ☐ Dead on Arrival 4 ☐ Nursing Home/Long Term Care Facility 5 ☐ Hospice Facility 6 ☒ Decedent s Residence 7 ☐ Other Specify
2d. Name of hospital or other facility (if not facility, street address) 421 Broome Street

Date and Time of Death or Found Dead 3a. (Month) January (Day) 22 (Year-yyyy) 2008 3b. Time 3:35 ☐ AM ☒ PM 4. Sex Male 5. OCME Case No. 08-0040

6. CAUSE OF DEATH PART I a. Immediate cause Pending Further Studies
~~b. Due to or as a consequence of~~
~~c. Due to or as a consequence of~~
APPROXIMATE INTERVAL ONSET TO DEATH
PART II Other significant conditions contributing to death but not resulting in the underlying cause given in Part I. Include operation information.

7a. Injury Date (mm dd yyyy) 7b. Time ☐ AM ☐ PM 7c. At Work 1 ☐ Yes 2 ☐ No 7d. Place of Injury - At home, factory, street etc. 7e. Location
7f. How Injury Occurred
7g. If Transportation Injury Specify ☐ Driver/Operator ☐ Pedestrian ☐ Passenger ☐ Other Specify
8. Manner of Death ☒ Pending further study ☐ Natural ☐ Homicide ☐ Accident ☐ Suicide ☐ Undetermined
9. Autopsy ☒ Yes ☐ No Autopsy Pursuant to Law ☐ No Autopsy
10. On the basis of examination and/or investigation, in my opinion, death occurred due to the causes and manner as stated. Certifier Signature Vincent Tranchida M.D. Date Jan 23rd, 2008 Certifier Name (Print) Vincent Tranchida Medical Examiner

11a. Usual Residence State California 11b. County Los Angeles 11c. City or Town Los Angeles 11d. Street and Number Apt. No ZIP Code 8010 Woodrow Wilson Drive 90046 11e. Inside City Limits? 1☒ Yes 2 ☐ No
12. Date of Birth (Month) (Day) (Year-yyyy) April 4, 1979 13. Age at last birthday (years) 28 Under 1 Year Months Days Under 1 Day Hours Minutes 14. Social Security No. 614-06-1075
15a. Usual Occupation (Type of work done during most of working life. Do not use "retired") Actor 15b. Kind of business or industry Motion Pictures 16. Aliases or AKAs Heath Andrew Ledger
17. Birthplace (City & State or Foreign Country) Australia
18. Education (Check the box that best describes the highest degree or level of school completed at the time of death) 1 ☐ 8th grade or less; none 2 ☐ 9th-12th grade; no diploma 3 ☐ High school graduate or GED 4 ☐ Some college credit, but no degree 5 ☐ Associate degree (e.g., AA, AS) 6 ☐ Bachelor's degree (e.g., BA, AB, BS) 7 ☐ Master's degree (e.g., MA, MS, MEng, MEd, MSW, MBA) 8 ☐ Doctorate (e.g. PhD, EdD) or Professional degree (e.g., MD, DDS, DVM, LLB, JD)
19. Ever in U.S. Armed Forces? 1 ☐ Yes 2 ☒ No 20. Marital Status at Time of Death 1 ☐ Married 2 ☐ Divorced 3 ☐ Married, but separated 4 ☒ Never married 5 ☐ Widowed 6 ☐ Unknown 21. Surviving Spouse's Name (If wife, name prior to first marriage) (First, Middle, Last)
22. Father's Name (First, Middle, Last) Kim Ledger 23. Mother's Maiden Name (Prior to first marriage) (First, Middle, Last) Sally Bell
24a. Informant's Name Kim Ledger 24b. Relationship to Decedent Father 24c. Address (Street and Number Apt. No City & State ZIP Code) [redacted] Bentley Western Australia 6102
25a. Method of Disposition 1 ☒ Burial 2 ☐ Cremation 3 ☐ Entombment 4 ☐ City Cemetery 5 ☐ Other Specify 25b. Place of Disposition (Name of cemetery, crematory, other place) Fremantle Cemetery
25c. Location of Disposition (City & State or Foreign Country) Palmyra Australia 25d. Date of Disposition mm dd yyyy 01 29 2008
26a. Funeral Establishment Frank E. Campbell-The Funeral Chapel 26b. Address (Street and Number City & State ZIP Code) 1076 Madison Ave. New York NY 10028

VR 16 (Rev. 01/03)

The City of New York

This is to certify that the foregoing is a true copy of a record on file in the Department of Health and Mental Hygiene. The Department of Health and Mental Hygiene does not certify to the truth of the statements made thereon, as no inquiry as to the facts has been provided by law.

Do not accept this transcript unless it bears the security features listed on the back. Reproduction or alteration of this transcript is prohibited by §3.21 of the New York City Health Code if the purpose is the evasion or violation of any provision of the Health Code or any other law.

DATE ISSUED Jan 25, 2008

Steven P. Schwartz, Ph.D., City Registrar

V00730426

DEPARTMENT OF HEALTH AND MENTAL HYGIENE THE CITY OF NEW YORK 1625

ANY ALTERATION OR ERASURE VOIDS THIS CERTIFICATE

Heath Ledgers Sterbeurkunde.

Die Polizei untersucht das Apartment in der Broome Street 421, SoHo, New York City, in dem Heath Ledger tot aufgefunden wurde.

New York verabschiedet sich von Heath Ledger:
Fans bringen Blumen, Kerzen und Abschiedsbriefe.

Oft sind die Briefe mit Fotos von Heath Ledger in seinen Rollen
oder mit seiner Tochter illustriert.

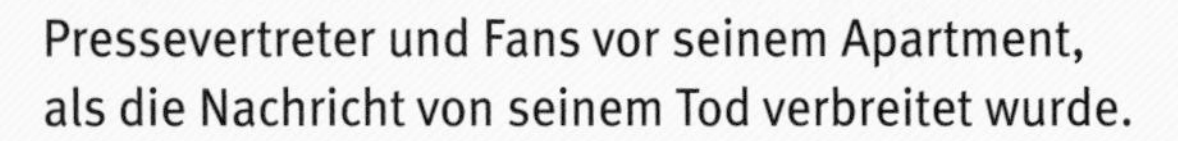

Pressevertreter und Fans vor seinem Apartment, als die Nachricht von seinem Tod verbreitet wurde.

Heath Ledgers Vater Kim, seine Mutter Sally und seine Schwester Kate bei einer öffentlichen Presseerklärung nach dem tragischen Tod ihres Sohnes und Bruders.

Heath Ledgers Leichnam wurde zur Einäscherung nach Perth geholt. Die Asche wurde neben den Gräbern zwei seiner Großeltern auf dem Karraketta Friedhof verstreut.

Michelle Williams feiert das Leben von Heath Ledger bei der Totenwache
im Indiana Tea House in Cottesloe, Perth, Australien.

HEATH LEDGER
Hollywood Collection –
Eine Hommage in Fotografien

Herausgegeben von Hilary Gayner
Texte und Fachberatung Manfred Hobsch
ISBN 978-3-89602-880-8

Schwarzkopf & Schwarzkopf Verlag GmbH, Berlin 2009. Übersetzung der Texte aus dem Englischen: Madeleine Lampe. Genehmigte Lizenzausgabe.

Der besondere Dank des Verlages geht an Esther Rosendahl von der Splash News & Picture Agency für die großartige Zusammenarbeit sowie an Gerald Singelmann und Martin Fischer für ihre außerordentlich hilfreichen InDesign-Skripte.

KATALOG
Wir senden Ihnen gern kostenlos den Katalog.
Schwarzkopf & Schwarzkopf Verlag GmbH
Abt. Service, Kastanienallee 32, 10435 Berlin
Telefon: 030 – 44 33 63 00
Fax: 030 – 44 33 63 044

INTERNET / E-MAIL
www.schwarzkopf-schwarzkopf.de
info@schwarzkopf-schwarzkopf.de

***

Vor dem Haus in der Broome Street 421, SoHo, New York City, wo Heath Ledger tot aufgefunden wurde.